D1293356

BIBIANA CAMACHO

TRAS LAS HUELLAS DE MI OLVIDO

MAR ABIERTO
narrativa contemporánea

La presente obra se publica en colaboración con
Fundación TV Azteca A.C.
Vereda No. 80, Col. Jardines del Pedregal, C.P. 01900, México, D.F.
www.fundacionazteca.org

Las marcas registradas: Fundación TV Azteca, Proyecto 40
y Círculo Editorial Azteca se utilizan bajo licencia de:
TV AZTECA S.A. DE C.V. MÉXICO 2010.

Avenida Independencia 1001
Col. Centro, C.P. 68000
Oaxaca de Juárez, Oaxaca
Dirección fiscal:
Calle 5 de Mayo, 16 - A
Santa María Ixcotel
Santa Lucía del Camino
C.P. 68100, Oaxaca de Juárez, Oaxaca

www.almadia.com.mx

Primera edición: agosto de 2010
ISBN: 978-607-411-050-0

Impreso y hecho en México.

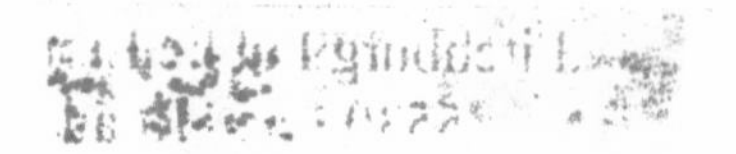

Almadía

… y yo también soy quien huye de mí.
Y no tengo siquiera el valor necesario
para volver atrás y ayudarme.

LOBO ANTUNES
Memoria de elefante

Para J. M.

I

Camino sin rumbo por el centro de la ciudad. No tengo prisa ni interés de encontrarme con nadie. En la calle y los negocios abiertos hay un silencio turbador.

El calor es sofocante. Entro a una tienda, quisiera beber algo frío. Dentro no hay nadie. Espero un momento y saludo en voz alta varias veces, cada vez alzo más la voz. Es inútil. Salgo. Dos cuadras adelante hay un local de tortas y licuados. Pruebo suerte y obtengo los mismos resultados. El lugar está vacío, podría coger cualquier producto sin pagar. Saco un refresco y finjo guardarlo entre mis ropas pero nadie intenta detenerme. Me planto frente a la caja registradora. Llamo a los encargados. Aprovecho el tiempo que tardan. Abro el envase y bebo. Nadie viene. Voy hacia la salida, segura de que me detendrán para cobrar lo que ya he consumido. Salgo sin problema.

Llego al Zócalo vacío. Algo anda mal, el silencio es apabullante.

Apresuro mis pasos. El asfalto está caliente, me doy cuenta de que no llevo zapatos. Tengo los pies ennegrecidos; las uñas largas y amarillentas como garras de buitre. El piso arde cada vez más. Gruesas gotas de sudor resbalan por mi frente, mi nuca, mi espalda.

Quizá debería volver a casa pero no lo hago. Busco en los aparadores, si encontrara unas chanclas me las robaría, al fin que los negocios están abiertos y vacíos. ¿Cómo pude salir sin zapatos y no darme cuenta hasta ahora?

La mugre de las plantas de mis pies avanza de los tobillos a las pantorrillas, que se endurecen como si fueran de piedra. Me detengo espantada y observo: sólo los pies están negros; el resto conserva su color natural. La mirada exorciza el efecto, las pantorrillas dejan de petrificarse y vuelven a ser suaves.

Me detengo. A pesar de los rayos inclementes del sol, no hay sombras. Tampoco hay gente que las proyecte, pero ni los edificios, ni los arbustos y mucho menos yo misma proyectamos sombra. Parece que estuviera dentro de una maqueta de la ciudad, a la que alguien olvidó agregar personas.

Camino rápido, trato de mantener el menor tiempo posible mis pies sobre el asfalto. Necesito descansar, sentarme en la banqueta, en el suelo. Pero no me detengo; el silencio, la ausencia de gente y de sombras son perturbadores.

Un chicle se me pega al talón, lo froto contra el filo de la banqueta para deshacerme de él y sólo consigo lastimarme. Me gusta la combinación de negro con rojo, la sangre brilla a través de las costras oscuras.

Quiero volver a casa. Camino hacia el metro, no encuentro la entrada. El piso adquiere una consistencia pantanosa, parece que camino a través de arenas movedizas de hormigón. Mis pies chapotean en algo viscoso, invisible; debe ser que el asfalto se derrite bajo mis pies.

Me hundo, cada vez es más difícil avanzar. No hay nadie, no hay música ni voces, sólo el desesperado chapotear de mis pasos.

El asfalto me llega hasta las rodillas. No puedo impulsarme con las piernas, para dar cada paso debo levantar los pies como si fuera a subir un escalón.

Necesito mear. Miro hacia abajo mientras aflojo el esfínter. ¿Dónde quedó mi falda? Veo mis piernas desnudas y el calzón que no logra cubrir todo el vello. Levanto la vista para confirmar que nadie me ve, siento el orín tibio escurriendo entre mis piernas. La vergüenza sólo surge cuando hay un mirón, un testigo que desapruebe lo que hacemos. Giro la cabeza. En mi recorrido visual creo hallar el rostro de mi madre reflejado en un aparador. Regreso la mirada a ese lugar, pero no hay nadie. Quizá no era ella, pero estoy segura de haber visto a alguien. Analizo la perspectiva y busco el punto específico donde vi el reflejo. Adelanto un poco la cabeza, soy yo. ¿Cómo pude confundirme con mi madre?

No recuerdo a qué vine, ni porque estoy descalza y mucho menos dónde dejé la falda. El silencio es apabullante.

II

Llevaba varias horas con los ojos abiertos cuando los gritos me levantaron de la cama. Tenía la angustiante sensación de haber olvidado algo y de no saber qué. Y por si fuera poco, tampoco podía recordar el final del sueño que me había despertado agitada y sudorosa en la madrugada.

Entreabrí la puerta de la recámara y vi a mi padrastro bajar a la carrera mientras mi madre le propinaba la dosis de insultos y reclamos de fin de semana. Volví a la cama con la intención de permanecer ahí todo el día, al menos hasta que lograra encontrar lo que había olvidado. A los pocos minutos escuché golpecitos en la puerta, como de alguien que no quiere molestar, pero que tampoco está dispuesto a marcharse. Era Rosendo.

–Etél, ¿estás despierta? –susurró mientras abría la puerta.

Entró con una sonrisa tímida pero definitiva, como si acabara de salvarse de un gran peligro. Seguramente bajó a tranquilizar a mi madre y luego subió de nuevo, tratando de no hacer ruido.

–Hoy es el cumpleaños de tu madre y lo olvidé.

–Como siempre.

–Necesito que me ayudes a comprarle un regalo.

–Ya no tiene caso, de todos modos nunca le gusta lo que le compras. Si algo valía la pena era la sorpresa.

–Por eso mismo necesito que me ayudes. Apúrate, te espero en el carro.

Me levanté con pereza. Rosendo no tendría ninguna posibilidad de satisfacer a mi madre por más que se esforzara, ambos lo sabíamos, pero yo era incapaz de abandonarlo en sus desesperados intentos.

La angustia del olvido se hizo más intensa cuando terminé de vestirme. No quería salir de casa, pero era más grande la compasión por el compañero de mi madre: un hombre olvidadizo y descuidado.

Rosendo decidió ir al centro comercial más lejano, al sur de la ciudad; según él para no toparse con algún conocido que pudiera ir con el chisme. Durante el trayecto repasé mis actividades del día anterior, con la esperanza de dar con lo extraviado: fui a la escuela temprano, luego al instituto de sociología donde trabajo como ayudante de un investigador. Y aunque ese día recibí un aumento, realicé mis actividades con desgano y mala cara. Hice el mínimo esfuerzo y pospuse todo lo que se podía posponer para la semana entrante. La poca disposición de los investigadores para involucrarme en sus proyectos, atorados en un bache temporal y creativo, y mi propia indiferencia eran la combinación perfecta para que yo no aprendiera absolutamente nada. Poco antes de llegar al centro comercial escuché algunos fragmentos de lo que decía Rosendo: estaba planeando cambiar de vida, como tantas otras veces. Al final del día, cuando el pleito entre él y mi madre llegara a su clímax, decidiría que ningún cambio valía la pena con una mujer como ella. No es que no quisiera escucharlo, aunque se repitiera a sí mismo sin darse cuenta, sino que estaba demasiado distraída tratando de recordar si había olvidado una tarea o un recado, quizá una cita o un cumpleaños.

Miré a Rosendo mientras maniobraba para estacionarse, tenía la lengua de fuera, la mirada atenta y las mejillas coloradas. A veces me daba la impresión de que se encontraba en un gran desamparo y me nacía el instinto de protegerlo. Traté de recordar las circunstancias de algunos de esos momentos, pero no pude, sólo recordé un gesto, una mirada, una forma de caminar.

Su voz me regresó al presente.

–Dejemos el carro aquí…

–Mmm.

–… ahorramos lo del estacionamiento y usamos esa lana para completar lo del regalo de tu mamá.

–Ya sabes que a ella no le gusta que lo dejes en la calle.

–Bueno, no tiene por qué enterarse, además es por una buena causa, ándale.

En otras circunstancias hubiera insistido para que metiera el carro en un estacionamiento, pero estaba inquieta por lo que había olvidado y no lograba recordar, así que no pensé que fuera mala idea dejar el auto en la calle de un barrio que no conocíamos.

Mientras recorríamos el centro comercial sin mirar los aparadores, Rosendo hablaba de una determinación que nunca tomaría y yo recordaba el modo en que había terminado el día anterior. Después del instituto, Bernardo y yo fuimos a una fiesta. ¿Cómo se le llamará a la etapa de los veinte años, recién salidos de la adolescencia y a medio camino de la adultez? En la fiesta, las mujeres nos acomodamos cerca de la cocina y los hombres en la sala, como si estuviéramos en la primaria. Mis amigas se arrebataban la palabra para contar la anécdota más atrevida, pero se pusieron serias cuando hablaron de la mejor manera de hacerse de un buen partido o de un buen trabajo. Alardeaban diciendo que hacían lo que querían, cuando querían y como querían. Y terminaron despotricando contra los hombres: "Todos son iguales", sentenciaron. La plática contrastaba con el espacio natural que habíamos adoptado: mujeres cerca de la cocina, hombres en la sala frente a una mesa llena de botellas. Aburrida del mismo tema y las mismas anécdotas, casi no hablé. No me acerqué al grupo de los hombres porque temí que estuvieran hablando de lo mismo, eso confirmaría que todos son iguales, ¿y las mujeres?

Luego de un rato de vagar sin propósito determinado, Rosendo eligió un oso azul de nariz grande. Me costó mucho trabajo disuadirlo, no voy a negar que el muñeco era precioso, pero mi madre detestaba las cosas inútiles y estorbosas; además solía ser demasiado elocuente cuando algo no le gustaba. Así que traté de evitarle un mal rato a Rosendo.

Después de regresar varias veces a las mismas tiendas, Rosendo compró un suéter verde. Era una buena elección, habíamos visto un modelo muy parecido en una revista de modas que le había gustado mucho a mi mamá.

Rosendo iba radiante, como si el regalo fuera a salvarlo del mal humor de mi madre. Intentó recriminarme por no haber comprado algo, pero tuvo que callar cuando supo que yo tenía el regalo desde hacía una semana.

Salimos corriendo del centro comercial, ya casi era hora de la comida y si mi madre no nos veía aparecer pronto, seguramente nos esperaría una tarde conflictiva.

Nos dirigimos al carro, pero no lo encontramos. Recorrimos las calles adyacentes, pensando que tal vez nos habríamos equivocado, pero no, el carro no estaba. La memoria de Rosendo no fallaba y la mía no merecía credibilidad alguna; con toda seguridad nos habían robado.

Me dio más pena el drama que le esperaba a Rosendo que la pérdida del auto. Rosendo pensó en ir a la delegación a denunciar el robo, giró su cabeza hacia el reloj y hacia mí varias veces en espera de un consejo que no necesitaba. Mi madre era la prioridad en ese momento, sobre todo el día de su cumpleaños. Hubiera sido mejor llamarla por teléfono, pero Rosendo le tenía más miedo a través del aparato que en persona.

El entusiasmo por la elección del regalo había desaparecido. Viajó con el paquete pegado al cuerpo como si fuera una tabla de salvación. Tomamos la ruta larga sin consultarlo el uno con el otro y lo único que logramos fue prolongar la agonía.

Tardamos una eternidad en entrar a casa porque Rosendo maniobraba con las llaves tratando de no hacer ruido; como si el silencio pudiera aplacar la ira de mi madre.

–¿Dónde andaban? Se largan sin avisar –el tono belicoso eliminó cualquier esperanza de que no estallara en cólera cuando supiera la noticia.

–Nos robaron el carro –a pesar de que Rosendo susurró, mi madre lo escuchó perfectamente.

–¿Qué? ¿Dónde, cómo? Eres un imbécil. De seguro lo dejaste estacionado en la calle, te lo he dicho mil veces –Rosendo masajeaba el regalo que aún traía pegado al cuerpo y la envoltura cedió ante la fricción y el sudor de sus manos. Me dirigí hacia las escaleras, no quería escucharlos.

–Tú te quedas exactamente donde estás, eres cómplice de este idiota que no es capaz de decir absolutamente nada. Sólo esto me faltaba, no puedo tener nunca un cumpleaños decente, siempre hay algo que lo arruina. Se juntan para hacerme la vida un infierno, par de retrasados mentales, tengo que cargar con el peso de la familia, no se les puede confiar absolutamente nada. A ver, ¿qué pasó? Par de imbéciles...

Con el rostro congestionado y respirando con dificultad, fingió un desmayo tan ensayado que ni mi padrastro ni yo intentamos ayudarla. Se repuso sola mientras Rosendo permanecía cabizbajo y en silencio; sabía que cualquier cosa que dijera no haría más que aumentar la cólera de mi madre y darle más motivos para insultarlo.

De pronto alzó la cabeza y dejó caer el regalo, tenía una mirada amenazadora que nunca le había visto. Pensé que estaba a punto de lanzarse sobre ella, pero no lo hizo. Se soltó a llorar como un niño. Se cubrió el rostro con las manos y por fin empezó a hablar, pero no había modo de entenderle. Su respiración entrecortada le impedía emitir un sonido coherente.

Era un cobarde. La primera vez que fue a casa, cinco años atrás, me pareció un tipo antipático y prepotente. Luego entendí que tenía miedo de no ser aceptado ni querido. Meses después, se instaló en la casa que mi padre compró poco antes de morir. Odié a Rosendo porque pensé que él estaría disfrutando lo que a mi padre tanto trabajo le había costado. Llegó a una casa puesta con una familia ya hecha. Con el tiempo le tomé cariño. Se convirtió en un cómplice, me daba la razón a escondidas de mi madre, sonreía a espaldas de ella cuando me decretaba la ley del hielo y, si estábamos solos, nos carcajeábamos con sus imitaciones que nunca se atrevía a hacer delante de mi madre, que lo tachaba de infantil.

Resultó ser un buen padrastro después de todo, pero mi madre parecía no estar satisfecha, siempre había algo que él no estaba haciendo bien, algo que faltaba.

Salieron a buscar el coche y mi madre azotó la puerta. Subí a mi recámara, puse música, tomé un libro y me tumbé en la cama. Me detuve a media página, no estaba entendiendo nada. La sensación de haber olvidado algo era más evidente cuando estaba sola. El teléfono sonó, pero no contesté; por el sonsonete del timbre supuse que no serían mis padres. Si les interesaba volverían a llamar.

Retomé la lectura y traté de concentrarme, pero cada que volteaba una hoja tenía que retroceder, perdía el hilo con demasiada frecuencia. Dejé el libro a un lado y cerré los ojos.

Horas después escuché el motor del coche, no lo habían robado, la grúa se lo llevó al corralón.

–Hijita, ven a comer –detestaba ese tono cantarín porque indicaba que mi madre estaba contenta y uno nunca sabía cuánto tiempo podía durar.

Bajé con su regalo. La mesa ya estaba puesta. Rosendo y mi madre cuchicheaban y reían en la cocina.

Hicimos bromas durante la comida y al final cortamos el pastel que compraron de regreso a casa. Le dimos sus regalos y al quitarles la envoltura supe, por su expresión, que no le habían disgustado del todo, aunque no faltó un comentario negativo: Uy, está muy lindo pero las mangas están un poco grandes, en fin, ni modo, no se nota tanto. Hija, muchas gracias pero no te hubieras molestado, el que tengo me va a durar toda la vida, éste es muy bonito pero ya veremos si funciona igual. Le había comprado un teléfono celular porque siempre se quejaba del suyo, demasiado grande y viejo.

Regresé a mi recámara en cuanto pude, Rosendo y mi madre tuvieron que suspender su salida de cumpleaños porque se quedaron sin dinero. Abrieron una botella de tequila y me invitaron a compartirla. Me negué, no se puede confiar en mi madre cuando es amable y cariñosa, y menos si piensa emborracharse: siempre tiene un as bajo la manga. No entendía cómo Rosendo, después de cinco años, era incapaz de huir cuando la tormenta se avecinaba. Parecía no conocer a su mujer y se mostraba sorprendido y herido cada vez que lo insultaba, como si fuera la primera.

Antes de llegar a mi cuarto sonó el teléfono; era Bernardo que me invitaba a bailar.

–Estoy muy cansada, mejor otro día.

–Tú te lo pierdes, ni creas que me voy a quedar encerrado por tu…

Colgué antes de que terminara de hablar y me metí en la cama, la molesta sensación de haber olvidado algo disminuyó, me preocupaba la desafortunada combinación: mamá, Rosendo y tequila. No sucedía con frecuencia y nunca terminaba bien. Quise leer un poco, pero se me cerraban los párpados. Estaba a punto de quedarme dormida cuando recordé que había olvidado algo y no supe qué.

III

Desperté en la madrugada. El reloj parpadeaba y no pude adivinar la hora. Permanecí algunos minutos inmóvil. Mamá, Rosendo y una botella de tequila sólo permitía dos finales posibles: o Rosendo dormía en la sala o mi madre dormía conmigo. La segunda era la peor, porque tenía que aguantar quejas y recriminaciones hasta que la vencía el sueño. Después, sus ronquidos y el tufillo a alcohol me impedían pegar el ojo.

Me acerqué a la puerta de la recámara tratando de adivinar por los sonidos lo que sucedía, pero no oí nada. Giré el picaporte y empujé la puerta lentamente, afuera todo estaba oscuro. Caminé por el pasillo hacia las escaleras y me detuve unos segundos frente a la habitación de mi madre y Rosendo. Sólo el silencio. Luego me asomé a la sala por el barandal y tampoco vi el bulto de mi padrastro en el sofá. Estaba a punto de regresar sobre mis propios pasos cuando sentí una mano en mi hombro.

–¿Qué haces levantada y tan lejos de tu cama a estas horas? No me digas que pretendes espiarnos… ¿O será que buscas a tu querido padrastro? Te preocupa mucho, ¿verdad? Se largan solos y sin avisar. Ya voy entendiendo lo que pasa en esta casa, sólo eso me faltaba.

Casi pierdo el aliento con la mano de mi madre en la espalda, pero sentí que se me erizaban los pelos de la nuca al escuchar su voz en susurro, cuando su costumbre era gritar. Volví a mi habitación y azoté la puerta. Supongo que Rosendo dormía con mi madre, quien murmuraba para no despertarlo.

Me metí en las cobijas, clavé mi rostro en la almohada. Ninguna puerta de la casa, a excepción de la de entrada, se podía cerrar con llave por disposición de mi madre. Decía que una familia no guarda secretos. Miré el picaporte durante toda la noche, segura de que entraría en cualquier momento. No sucedió y me pregunté si en verdad la había encontrado en el pasillo, o si me había quedado en mi cuarto.

La amnesia selectiva regresó con más fuerza y no logré recordar lo olvidado. Vi el amanecer a través de la ventana, aturdida por un zumbido en los oídos que inició en la madrugada. Decidí no levantarme en todo el día. Me acomodé boca abajo y cerré los ojos. La luz me dio tranquilidad, como si el peligro sólo existiera durante la noche. Estaba por quedarme dormida cuando escuché el motor del auto. Todos los domingos, sin falta, mi madre y Rosendo iban a comprar la despensa para toda la semana, enojados o no.

Aproveché la oportunidad para bajar a desayunar. El timbre del teléfono sonó desesperado, yo sabía quién llamaba pero no contesté. Media hora más tarde estaba sonando de nuevo.

–Diga.

–¿Por qué no me llamaste en la noche?

–Te fuiste a bailar, ¿no?

–Sí, pero pensé que cambiarías de opinión y estuve esperando tu llamada.

–...

–Sigues enojada.

–No.

–Lo siento, no fue mi inten…

–No estoy enojada, estoy aburrida. Ayer no tenía ganas de salir a bailar, mejor me hubieras invitado al cine.

–No lo dijiste.

–Se me ocurrió muy tarde, supuse que ya estarías bailando.

–¿Quieres ir al cine hoy?

–Bueno.

–¿A qué hora paso por ti?

–Mejor nos vemos en el café del cine de siempre como a las dos.

–Mmmm, bueno, preferiría pasar por ti, pero como quieras.

No tenía ganas de ver a Bernardo, pero no quería que pensara que estaba enojada con él. Salimos muy tarde de la reunión el viernes pasado y Bernardo bebió de más. Casi no nos dirigimos la palabra en el camino de regreso. Pensó que me había molestado su borrachera, cuando en realidad estaba fastidiada. Hubiera querido largarme antes, pero tampoco tenía ganas de regresar a casa temprano.

Llegó puntual y se sorprendió de verme ahí. Yo siempre llegaba tarde. Salí de casa lo antes posible para no encontrarme con Rosendo y mi madre. Ya había bebido una taza de café y tenía otra a la mitad sobre la mesa.

Me contó que estaba feliz porque había conseguido una cita de trabajo en una empresa importante. De pronto la vida se reducía a una fórmula: naces, creces, estudias, consigues un buen trabajo, compras carro, tele, compu, etcétera, te casas, te reproduces, esperas que tus hijos hagan lo mismo y mueres.

La fórmula no era espantosa, pero me daba la idea de acorralamiento, de no poder hacer nada más porque todos esperaban sólo eso. No se lo dije a Bernardo porque cada vez que le hacía un comentario de ese tipo se molestaba y decía que me complicaba demasiado.

Bernardo eligió la película, ni siquiera me fijé en el título. Compramos palomitas y refresco y entramos en la sala.

Corro desesperada por pasillos estrechos y asfixiantes. Alguien me persigue, quisiera saber quién va tras de mí, pero no me atrevo a girar la cabeza, si disminuyo la velocidad me alcanzará. Me falta el aliento, las piernas ya no responden, avanzo en cámara lenta y mi perseguidor está cada vez más cerca. Abrí los ojos sobresaltada y casi tiro las palomitas. En la pantalla, tanto el héroe como el villano mueren en un enfrentamiento, la gente recoge el cuerpo del primero y se marcha dejando el cadáver del segundo abandonado. Salimos de la sala en silencio, Bernardo estaba molesto pero no dijo nada. No había modo de conversar acerca de la película de regreso a casa, así que platicamos de su oferta de trabajo.

Cuando llegamos a la puerta de mi casa me despedí.

–Gracias, nos vemos mañana.

–¿No quieres que pase un rato?

–Hoy no, estoy cansada y…

–Pero si te dormiste toda la película.

–Sí, pero Ma y Rosendo se pelearon ayer y…

–Pero siempre están peleados.

–Te llamo mañana, ¿sí?

Bernardo me hizo una seña con la mano que quería decir: Sí, cómo no. Me costaba trabajo aceptar que estaba aburrida de él y que ya no lo quería. Si acepté su compañía fue porque la sensación de olvido seguía agazapada en mi interior y podía surgir si me encontraba sola. Bernardo aguantaba mi mal humor y trataba de no darle importancia, pero esta vez había durado demasiado y no tardarían los cuestionamientos y los reproches.

Rosendo estaba en la cocina y mi madre sentada en la sala viendo la televisión apagada. En algún momento, que no recordaba, su afición a ver la televisión apagada me perturbó, pero luego me pareció normal y hasta tranquilizante. En ese momento supuse que después de pelear con su pareja todo el domingo estaría satisfecha o al menos cansada, pero me equivoqué.

–Muy bonita, te largas con ese bueno para nada y no haces tus obligaciones, ¿crees que soy tu criada?

–No, Ma, lo siento, mañana hago lo que me toca.

Cada fin de semana me tocaba poner la ropa de toda la familia en la lavadora, tenderla, doblarla una vez seca y guardarla en su lugar. A veces lo hacía a mitad de semana, lo cual no suponía ningún problema, a menos que ella estuviera de mal humor, como sucedía en ese momento.

–¿Crees que con un "lo siento" basta? Eres una huevona, igualita que Rosendo, y eso que no es tu padre. Dios los hace y ustedes se juntan.

La ignoré. Si discutía con ella, luego se vengaba: desaparecían cosas de mi cuarto, me negaba al teléfono y no perdía oportunidad de ponerme en ridículo con Bernardo. Fui con Rosendo a la cocina y la dejé hablando sola.

Mientras yo lavaba los platos lo observé de reojo, pegado a la estufa, moviendo un cucharón dentro de una cazuela. Era un hombre alto, de espalda ancha y brazos delgados; la panza que cuidaba tanto sobresalía sin remedio y del cabello alborotado despuntaban varias canas. Su aspecto descuidado, por más que usara traje y corbata, contrastaba con la elegancia de mi madre. De no ser porque vivía con nosotras, jamás los hubiera imaginado juntos, ni como amigos. Me preguntaba por qué no la dejaba, y al mismo tiempo deseaba que no lo hiciera, que no me dejara sola con ella.

–Prueba –me acercó el cucharón con un poco de arroz con leche. Era una de sus especialidades y, aunque sabía que le quedaba delicioso, le gustaba que lo alabaran.

–Mmmm, te quedó re bueno. Justo lo que necesitamos para este clima –lo dije porque el día estuvo nublado pero mi madre lo tomó personal.

–No se crean que no los estoy escuchando, par de arpías.

Era omnipresente. Escuchaba y veía todo lo que sucedía en casa. Cuando no podía, lo imaginaba; y en su paranoia, estaba segura de que conspirábamos contra ella. No había modo de convencerla de su error, cualquier intento de diálogo terminaba en lágrimas y reproches de viejos conflictos que yo no recordaba, por más esfuerzos que hiciera. Y siempre me quedaba una sensación de desamparo, de haber sido excluida de un evento importante e incluida como culpable en una afrenta fantasma.

Rosendo apagó la lumbre de la estufa, sacó un par de platos y de cucharas y se sentó a esperar que el arroz se enfriara un poco. Cuando acabé de lavar, me sequé las manos en el pantalón y me senté a su lado. Se supone que debía estar de lado de mi madre, pero no podía. Los lazos de sangre no eran suficientes para solidarizarme con mi progenitora.

Rosendo se levantó y sirvió. Intercambiamos sonrisas y comimos lentamente. No pude disfrutar el arroz con leche. La sensación de haber olvidado algo no me daba tregua y el ambiente tenso me inquietaba. Momentos después mi madre entró en la cocina.

–Comen solos. Así les voy a hacer cuando haga la comida, sólo voy a cocinar para mí, par de egoístas. Y tú, más vale que ni te acerques a mi cuarto, a ver dónde duermes.

No le gustaba el arroz con leche y le molestaba que Rosendo lo preparara porque sabía que lo disfrutábamos.

Rosendo tiró lo que se había servido y lavó el plato mientras mi madre salía de la cocina. Yo me serví otra ración más abundante que la anterior. Escuchamos sus pasos en las escaleras, pesados y ruidosos como los de un elefante. Mientras comía tenía las entrañas revueltas y una ira creciente que no hallaba un espacio donde expandirse y explotar. Pero fingí indiferencia.

Rosendo dormiría en la sala como la mayoría de las noches en los últimos meses. Me despedí de él con un beso en la mejilla. Antes de terminar de subir las escaleras, me detuve a mirarlo unos segundos. Había prendido un cigarro y el humo suspendido en el aire parecía una lámpara diminuta.

Hubiera querido permanecer un rato con él, tenía ganas de platicar con alguien. Quería contarle que tenía una terrible sensación de haber olvidado algo desde hacía días y que ni se me quitaba ni lograba averiguar qué era. Quería contarle que ya estaba cansada de trabajar en el instituto de la universidad porque el ambiente era nefasto y las promociones y trabajos interesantes sólo se obtenían a base de lambisconerías. Quería contarle un sueño que había empezado semanas atrás y que me asaltaba casi todas las noches, pero cada vez había una parte nueva, una que no había soñado antes; era como ver una serie de televisión, sólo que en este caso la historia siempre comenzaba desde el principio y lo nuevo era tan breve que parecía sólo el avance del siguiente capítulo. No podía hablar con él; mi madre, atenta a todo lo que ocurría en la casa, pensaría que estábamos conspirando contra ella. Además no estaba segura de lo ocurrido durante la noche y tuve miedo de acercarme a Rosendo. No tenía valor frente a ella: me temblaban las extremidades y un miedo veloz y corrosivo paseaba a través de mis huesos.

Hubiera preferido que se desatara una pelea con gritos y llanto. El clímax generaba una tranquilidad que duraba un par de días, pero por alguna razón la tensión aumentaba y ni mi madre ni Rosendo parecían dispuestos a dar por iniciada la batalla.

Una vez en mi cuarto, traté de relajar los músculos y de no pensar en nada.

Decidí ausentarme de la universidad durante un par de días, mientras hallaba lo que creía extraviado.

IV

Salí de casa como si fuera a la universidad. Cuando llegué a la estación Hidalgo del metro, en lugar de cambiar de tren salí a la calle. Era poco después de las seis de la mañana y la luz natural alumbraba todos los rincones.

Caminé por las orillas de la Alameda. Di varias vueltas antes de sentarme en una banca. ¿Qué pude haber olvidado? ¿Un recado, una tarea, una fecha, un nombre, un amigo, un sueño, una llamada, un encargo, una promesa, una ausencia? ¿Por qué sentía que era tan importante? Había decidido no ir a la universidad hasta hallar lo extraviado o deshacerme de esa angustiante sensación. Las cosas que se olvidan regresan solas en el momento menos esperado. Sabía que entre más buscara menos iba a encontrar. Mi reto consistía en acostumbrarme a la sensación de olvido, como los dolores que no varían de intensidad y que terminan siendo parte de nosotros mismos.

Estaba tan distraída que no me percaté de la presencia de un anciano sentado en el otro extremo de la banca, hasta que empezó a hacer ruidos. Lo miré de reojo. Usaba un traje gris descolorido y un sombrero de fieltro que parecía a punto de caer hecho pedazos. Sacó varias bolsas de plástico de los bolsillos del pantalón y del saco; las extendió sobre la banca una sobre otra, alisándolas con las palmas. Al terminar, abrió una bolsa de plástico que desprendió un olor putrefacto, de donde sacó pedazos de tortilla enlamada que lanzaba al suelo. De otra, sacó algo así como una torta cuyo olor no se diferenciaba del de las tortillas. Comió mientras observaba las palomas. Las miré un momento y luego puse atención en los zapatos al final de la banca. Estaban tan viejos y maltratados, que por la punta asomaban sus dedos resecos y huesudos.

El intenso hedor y las ratas aladas hicieron que me levantara. Las espanté con el movimiento. El anciano me miró con odio y farfulló una maldición que no entendí. Supongo que estaba invadiendo su territorio y además me daba el lujo de ahuyentar a sus amigas.

Caminé hacia Eje Central y justo en la esquina encontré un puesto de tamales y atole. Comí un champurrado y un tamal dulce, rodeada de personas que engullían de prisa por miedo a llegar tarde al trabajo.

Luego me dirigí hacia el Zócalo. El Centro era uno de mis lugares favoritos, pero lo frecuentaba poco. Nadie aprobaba mis visitas furtivas, mi madre y Rosendo le temían; y Bernardo lo odiaba: Está lleno de nacos, decía.

Llegué a la explanada del Zócalo, parcialmente invadida por una agrupación que exigía vivienda digna. Me senté en el suelo, cerca del asta bandera. Por fortuna, aún no llegaban los patéticos mexicanistas; mal presagio para los creyentes, se supone que tendrían que recibir los primeros rayos del sol.

Imaginé que a esa hora Rosendo estaría por ir al trabajo y mi madre daría de gritos, como todas las mañanas. Rosendo, con toda seguridad, tendría tapones en los oídos; se los pondría a escondidas y los conservaría puestos hasta llegar a la oficina. Traté de recordar en qué momento la cotidianeidad se volvió tan absurda. Mi madre siempre fue difícil, pero cuando Rosendo llegó a casa hizo un esfuerzo por estar tranquila, se enojaba mucho menos que con mi padre y trataba de beber con moderación. La luna de miel duró casi cuatro años. Un día, cuando yo tenía dieciséis, se fueron de viaje. Me quedé en casa, encargada con familiares y amigos. Durante una semana comí lo que quise y acomodé mis horarios a mi antojo. Las visitas de amigos y familiares para vigilarme fueron menos frecuentes de lo que mi madre y Rosendo hubieran deseado.

Cuando regresaron algo había cambiado. Muchas veces traté de recrear el viaje para encontrar algún indicio, pero nunca pude y dejé de pensar en eso. Ahora que lo recordaba, resultaba más difícil dar con una respuesta, había olvidado varios detalles que sin duda eran importantes. Fueron a una playa en Colima. La planeación fue un suplicio, no se ponían de acuerdo en el hotel ni en el modo de llegar. Rosendo tenía dinero ahorrado y estaba dispuesto a gastarlo todo, con tal de disfrutar la luna de miel tardía; quería viajar en avión y hospedarse en un hotel de primera. Mi madre prefería un hotel más barato, con comidas incluidas, tipo buffet. Rosendo argumentaba que no valía la pena haber esperado tanto tiempo para luego andarse con miserias. Al final llegaron a un acuerdo que no logró satisfacer a ninguno. Sin embargo, se fueron contentos, o al menos eso recuerdo. Me dieron miles de recomendaciones y me abrazaron y besaron en el aeropuerto como si se estuvieran despidiendo para siempre. De algún modo fue así, porque cuando regresaron ninguno de los dos era el mismo. Algo tuvo que haber sucedido para que volvieran tan distantes. Mi madre agresiva y belicosa, Rosendo taciturno y resignado.

Desde que los vi salir del aeropuerto con sus maletas supe que algo raro sucedía. Al principio pensé que se trataba de una riña pasajera. Abordamos un taxi e hicimos el camino a casa en silencio. Cuando llegamos les pregunté cómo les había ido, pero ninguno respondió. Rosendo me acarició la cabeza y sacó varios regalos de su maleta: broches para el cabello, una pluma, collares y pulseras. Mi madre me lanzó una mirada fulminante y subió a su recámara. Nunca me platicaron cómo les fue en el viaje, se limitaron a hacer comentarios deshilvanados que sonaban falsos.

El día había avanzado mucho y seguía sin saber qué hacer. Me gustaba estar sentada en la plancha del Zócalo y observar a la gente que desfilaba por ahí o que se quedaba a vender o a ejecutar acrobacias. Pensar en otra cosa me ayudaba a distraer la amnesia parcial que ahora sentía lejana, como el eco permanente de una enfermedad que nos recuerda lo frágiles que somos.

Entonces me acordé de Ramón. Fuimos compañeros en la secundaria, pero desertó en segundo año y le perdí la pista. Años después nos reencontramos en una fiesta y desde entonces nos veíamos cada dos o tres meses. Vivía en el centro con su mujer, Bernardo y yo habíamos ido un par de veces a visitarlos.

No recordaba la calle, pero confiaba en mi orientación al pasear por el rumbo. Dirigí mis pasos atrás de Palacio Nacional. Caminé algunos minutos sin encontrar una pista. Los vendedores ambulantes con sus estructuras metálicas acaparaban el entorno. Los gritos y la música me distraían continuamente. Había gente por todos lados, pero nadie compraba nada. Caminé como en procesión de un lugar a otro con el ritmo que la multitud y los escasos espacios libres marcaban. La saturación del espacio me impedía reconocer la fachada que buscaba y tampoco podía mirar todo el tiempo hacia arriba como imbécil, pues corría el riesgo de pisar la mercancía de alguien o ser presa fácil de los ladronzuelos. Di la vuelta en una esquina resignada a no encontrar la vivienda de Ramón, cuando vi una casona que, a diferencia de las demás, tenía el zaguán cerrado. Me acerqué y probé suerte.

–Ramón.

Grité tímidamente. Nadie salió ni se asomó por las ventanas. Entonces aspiré suficiente aire y volví a gritar con toda la fuerza que pude.

–¡Ramooooooón!

Mis gritos no obtuvieron respuesta. Estaba a punto de irme cuando una mujer gorda y de cabello corto me empujó contra la pared, me puso el antebrazo en el cuello y me dijo en un susurro.

–¿Quién eres, pendejita, qué pedo tráis, quién te manda? ¿Eh, eh? Contesta, perra, que no tengo tu tiempo.

El miedo me paralizó, no supe qué decir. Traté de explicarle que era amiga de Ramón pero fui incapaz. De pronto llegó una mujer cacariza que se plantó a mi lado derecho, vestía pantalón de mezclilla y un delantal a manera de blusa. Recargó su mano en el muro para evitar cualquier intento de huída. La gorda me empujó con la panza varias veces en señal de desafío, mientras la cacariza reía divertida. Entonces escuché la voz de Ramón.

–Shshsh, shshsh, tranquilas, es una amiga.

Miramos hacia arriba. Desde el balcón, Ramón les hizo señas para que me dejaran en paz. La gorda dejó de empujar con su panza, pero ninguna se movió para darme más espacio hasta que escuchamos el choque de cadenas y el rechinido de la puerta.

–Ya me la tenían espantadita –dijo mi amigo, aguantándose la risa.

–No avisas, güey, ya sabes que aquí, cualquiera se chinga –al fin escuché la voz enérgica de la cacariza de ojos vivarachos y músculos marcados. Ambas parecían amistosas en cuanto supieron que yo no representaba ningún peligro. Por las miradas de los tres, supuse que se llevaban bien.

Ramón y yo entramos a la casona y las mujeres desaparecieron entre la multitud. Cerró la puerta, acomodó las cadenas y puso un enorme candado. Mientras atravesábamos el patio vacío, me explicó que los vecinos se turnaban para montar guardia. El dueño quería echarlos para vender el inmueble, y es que ya no obtenía ganancias con las rentas congeladas que ya ni le pagaban.

Al subir la escalera, una mujer que fumaba recargada en los lavaderos no nos quitó la vista de encima.

–No te preocupes. Lo que pasa es que estamos nerviosos –Ramón se percató de mi temor ante la mirada de la mujer y trató de tranquilizarme. Con toda seguridad, yo estaba más espantada que ellos, pero no dije nada.

–Lucila está trabajando, hubieras avisado que venías para ordenar un poco la casa.

Tenía razón, no lo pensé y de todos modos había dejado el celular en casa. No quería que Bernardo me localizara para reprocharme mi mal humor. Me sentía avergonzada por no decirle que ya no lo quería.

–¿Y Bernardo? –dijo mientras abría la puerta y me miraba de reojo.

–Debe estar en la universidad.

–Uy, están emputados. Luego se les pasa. Ayúdame a recoger, ¿no? Lucila se va a enojar si ve que hay visitas y todo está tirado.

Puso música electrónica y le ayudé a doblar ropa, tirar basura y barrer. Nunca había estado en sus cuartos durante el día y me parecieron mucho más pequeños y humildes. Seguramente Lucila arreglaba el lugar cuando había visitas. Ponía una luz tenue y llenaba el espacio de velas. Ahora, con los rayos solares que se filtraban por las ventanas, los detalles eran evidentes. Los cuadros en las paredes no lograban ocultar las manchas de humedad y la pintura resquebrajada. El tapiz de los sillones estaba descolorido y la superficie de dos mesitas de madera, raspada y opaca. El librero que me había parecido tan original, hecho de guacales sobrepuestos, ahora me parecía feo y deprimente. Los libros estaban maltratados y empolvados.

Mientras recogíamos me platicó sus próximos planes, quería poner un negocio de comida, pero no lograba convencer a Lucila de que era una buena idea; y yo pensé que en realidad era pésima. Ramón evitaba el trabajo a toda costa. Lucila, diez años mayor que él, lo mantenía y vivían contentos, pero no creo que estuviera dispuesta a complacerlo en un plan tan disparatado.

Cuando terminamos de recoger la llamó.

–Hola, chula, ¿ya vienes? Tráete más comida porque nos cayó Etél. Yo compro las chelas... Sí. No tardes. Adiós.

Lo bueno de Ramón es que hablaba todo el tiempo y hacía pocas preguntas. Yo no lo escuchaba. Cuando salimos a comprar las chelas, me sentí observada. Traté de ubicar a la gorda y a la cacariza, pero no las encontré y tampoco insistí demasiado. El que busca, encuentra; decía mi abuelo.

Cuando regresamos a los cuartos, Ramón seguía hablando. Traté de ponerle atención para evitar caer en la angustia del olvido que amenazaba con regresar. Sirvió las chelas y nos sentamos a esperar a Lucila.

Después de algunos minutos y tres vasos de cerveza, perdí el hilo de la conversación. Lucila tardaba demasiado y Ramón hablaba sin cesar. No era buena idea estar a solas con él. No me importaba lo que los demás pensaran de mí, pero la imagen de mi madre y su forma de ver la vida interferían con mis impulsos y emociones. De acuerdo a sus principios yo no tendría que estar sola con un hombre en una casa a la cual no había sido invitada. Estaba a punto de despedirme, la idea de que Lucila no llegaría rondaba mi cabeza. Entonces decidí que no, era como si mi madre tomara mis decisiones, a distancia, con un control remoto. Estaba en casa de Ramón, dispuesta a afrontar lo que sucediera, con Lucila o sin ella, y a hacer cualquier cosa que yo quisiera, en el momento que se me antojara.

Puse atención a la perorata de Ramón: hablaba de lo difícil que era vivir con una mujer como Lucila, posesiva, autoritaria y voluntariosa.

V

–¿Quieres mota? –de pronto interrumpió sus quejas y, faltando a su costumbre, me ofreció la marihuana antes de que yo se la pidiera.

–¿Tienes?

–Pues sí, güey, ni modo que te la invite si no tengo.

–Luego sales con que hay que salir a buscarla. Y yo aquí no me quedo sola ni loca, ¿no se enoja Lucila? –sabía que no, pero se lo dije para averiguar si su mujer llegaría en algún momento.

–Ni que fuera Bernardo, si es re grifa, pero fuma poco cuando viene tu viejo porque sabe que no le gusta y no quiere causarte un pedo. Por cierto, ¿cómo le haces para fumar si a tu viejo no le gusta?

–Fumo en casa a escondidas, cuando no hay nadie.

Entonces escuchamos los gritos de Lucila. Ramón bajó a abrir. Los taconazos de su paso fuerte taladraban el suelo. De pronto me sentí fuera de lugar, como una intrusa, alguien a quien se soporta pero que no es bienvenido. Pensé que lo mejor sería comer y marcharme de inmediato. Empezaba a sentirme nerviosa: el encuentro con las dos mujeres era muy sospechoso. Yo no podía representar una amenaza para nadie, no tengo aspecto de hampona ni me gusta llamar la atención. También era muy raro que la vecindad estuviera casi vacía. Aunque la mayoría de los cuartos se usaba como bodegas, en mis anteriores visitas la gente circulaba como dentro de un hormiguero, el zaguán jamás estaba atrancado y el ambiente se sentía relajado.

–Hola, qué milagro –Lucila parecía contenta de verme y yo me sentía apenada sin razón.

–Pos aquí de visita.

Ella era de las pocas personas que al saludar te plantan un beso de a deveras en la mejilla, no como la mayoría de mis amigas, que acercan el cachete y dan un beso al aire.

Se metieron a la cocina y fui tras ellos. No podía ayudarles, el espacio era muy reducido, si yo entraba prácticamente los inmovilizaría. Los observé desde el marco de la puerta mientras sacaban platones y vaciaban la comida china que Lucila había comprado.

La pareja de mi amigo aparentaba más edad por el modo de arreglarse: traje sastre entallado al cuerpo, que resaltaba sus curvas; zapatos con tacón de aguja que le alzaban aún más el culo. Se maquillaba en exceso, casi como un payaso. Sus peinados compuestos por algún moño, broche o peineta le alzaban la cabeza por lo menos diez centímetros. Sólo una vez la vi sin pintura; no era fea, pero el abuso de cosméticos le había devorado el color de la piel, lucía enferma y ojerosa.

Pensé que estaría molesta por mi sorpresiva visita, pero parecía incluso contenta. Puse los platones con comida sobre una mesa chaparra, mientras ellos acomodaban los platos y cubiertos. Nos sentamos sobre cojines alrededor de la mesa. Ramón llenó los vasos de cerveza y antes de servirnos brindamos por la amistad y él celebró que Bernardo no estuviera con nosotros.

No tenía mucha hambre, pero me atraganté con la idea de despedirme en cuanto terminara. A pesar de que mis amigos se portaban de maravilla, me sentía fuera de lugar; y el incidente con la gorda y la cacariza, disminuía mi confianza.

–Te va a hacer daño, al menos mastica un poco, pobre de tu panza.

–Déjala, de seguro ya se quiere ir a buscar a Bernardo. Así son todas, muy emputadas y a la mera hora van a buscarlo a uno –el comentario de mi amigo, cargado de mala leche, me puso a la defensiva. Estuve a punto de insultarlo, pero Lucila intervino como si nada.

–¿A poco te vas temprano? Nunca vienes, y el día que vienes no te quieres quedar a platicar con nosotros –dijo mientras me acariciaba la pierna debajo de la mesa. Me sonrió con coquetería y siguió comiendo. Al fin me convencieron de que me quedara más tiempo. Ramón argumentaba que ni siquiera habíamos tenido chance de encender una bacha. Luego recogió los platos sucios. Lucila y yo terminamos nuestras cervezas en silencio, mientras Ramón lavaba los platos y chiflaba una melodía. Lucila se quitó el saco y desabotonó la falda en su camino al aparato de sonido. Después de poner música, lió tres cigarrillos y me puso uno en la boca. Estaba incómoda y sorprendida por el comportamiento de ambos, pero sobre todo de Lucila, muy diferente sin la mirada inquisidora de Bernardo.

No reconocí la voz desgarradora que salía de las bocinas. Desde la primera bocanada me sentí tranquila. Nadie decía una palabra. Ramón se nos unió poco después y los tres fumamos en silencio. Traté de mantenerme alerta, rara vez fumaba acompañada, y me limitaba a dejarme llevar por las imágenes del momento.

Poco a poco los muros se ensancharon hasta que dejé de percibirlos, en su lugar una serie de nubes de colores en movimiento formaban figuras etéreas. Lucila jaló a Ramón del brazo y lo obligó a levantarse. Bailaron lentamente, sus movimientos parecían en cámara lenta. Aparté mi mirada de ellos y cuando les volví a poner atención la escena se repitió exactamente del mismo modo.

Cerré los ojos, pero algo cambió en la atmósfera y los abrí de nuevo. Ramón estaba tumbado sobre los cojines en una esquina. Lucila maniobraba con el aparato de sonido, pero yo no había dejado de escuchar la música que pusieron al principio. Me relajé y aflojé la mandíbula que inconscientemente había apretado en un esfuerzo por mantenerme lúcida. Segundos después estaba bailando con ella. Sus brazos estrechaban mi cintura con tal fuerza que casi me inmovilizaba. Me sorprendí acariciándole la nuca y jugueteando con su cabello pegajoso. Giraba mi dedo índice tratando de hacerle un rizo sin lograrlo. Sentía su aliento en mi cuello.

Me cagan tus amigos, sobre todo Lucila, pinche vieja, dijo Bernardo la última vez que los visitamos. Intenté cambiar el tema de conversación, pero minutos después volvió a arremeter contra la mujer de mi amigo: tiene algo que no termina de gustarme, ¿qué hace con el baquetón de Ramón y por qué siempre es tan amable? Parecía lanzar preguntas al aire de las que no esperaba respuesta.

Cuando empezamos a frecuentarlos pensé que se pondría celoso de Ramón, pero no fue así. Incluso creo que le agradaba, pero se resistió a intimar con él porque se sentía superior: Ramón es un bueno para nada, ni siquiera es capaz de mantener a su mujer. Por un momento pensé que Bernardo se sentía atraído por Lucila, pero cuando se lo comenté me dijo que más bien le parecía que la mujer en la relación era Ramón y que el hombre era Lucila.

Ahora yo estaba bailando con ella, nos sujetábamos con fuerza como si fuera el último asidero del mundo. Restregaba sus muslos en los míos y de vez en cuando doblaba la rodilla y me acariciaba la parte posterior de las piernas con su pantorrilla.

Yo giraba la cabeza continuamente para ver a Ramón, tumbado en los cojines con los ojos cerrados. Disfrutaba el momento, pero al mismo tiempo sentía que traicionaba a mis amigos. Cada que perdía de vista el cuerpo flojo de Ramón me daba le impresión de que abría los ojos y nos observaba.

Lucila giró mi cabeza hacia ella, sentí sus dedos en mi mentón, sus uñas largas rozaban mi cachete. Me acercó hacia su rostro y entreabrió los labios. El corazón me latía con fuerza y los músculos que había tratado de mantener tensos, en un fallido intento de control, se relajaron rápidamente.

Metió su lengua en mi boca, me acarició los dientes y el paladar con lamidas prolongadas y lentas. Bajé mi mano a sus nalgas y sentí su tanga diminuta bajo la falda. De pronto se repitió la misma sensación pegajosa que tuve al tocar su cabello. Aparté mi mano de inmediato, pero Lucila la dirigió a su pubis, bajo su falda. Estaba mojada. Sentía sus pelos duros como alambres y me dio la impresión de estar acariciando el culo de un mono. Aparté mi manó y la empujé lejos de mí.

La sensación de olvido de pronto se presentó con más fuerza, algo me impedía llenar mis pulmones de aire. La música se detuvo. Todo lo que escuchaba eran mis esfuerzos por respirar. Lucila yacía en los brazos de Ramón, con la blusa desabrochada y la falda enrollada en la cintura. Tenían los ojos semi cerrados y respiraban lenta y regularmente.

Los colores opacos de las paredes y el brillo intenso de los muebles me nublaron la vista durante algunos segundos. Entré al baño y mientras meaba escuché el chorro de orín como si fuera una catarata.

Mientras me mojaba la cara en el lavabo, la puerta principal se abrió de golpe y escuché golpes y gritos. Dos tipos con uniforme de policía me sacaron del baño a rastras. Lucila y Ramón estaban en un rincón con las manos esposadas. Nos obligaron a mantener la cabeza agachada. Hablaban sin parar y soltaban breves carcajadas, yo no entendía lo que decían. Poco después sacaron a Ramón del departamento y casi de inmediato a Lucila. No alcanzaba a escuchar nada y cuando me atreví a levantar un poco la vista me di cuenta de que estaba sola.

Escuché portazos y pasos apresurados que iban disminuyendo, como si un sinfín de ratas recorriera la vecindad. La ausencia de mis amigos confirmó mis temores a las presencias no humanas. Los efectos de la marihuana habían desaparecido casi por completo y el miedo me provocó una temblorina incontrolable. Me arrepentí de haberlos visitado; la gorda y la cacariza habían sido un mal presagio que no tomé en cuenta. Hice un gran esfuerzo por recordar lo que había olvidado para evadirme de la situación y sólo conseguí aumentar la angustia.

Pasó una eternidad antes de que Lucila entrara con la cacariza y un policía. Platicaban y reían a carcajadas, como si acabaran de contarse un chiste. La cacariza me quitó las esposas mientras le decía al policía:

–Ya ni la chingan, iba a ser un simulacro y se pusieron bien perros –el uniformado gorgoteó una risita y salió casi de inmediato.

–Bájale, güey, si no lo hacíamos así, no era creíble, pero tú si te pasaste, pinche Lucila, el Ramón hasta perdió el conocimiento –La cacariza trataba de contener una carcajada y sus senos fofos debajo del babero se movían como gelatinas.

Lucila no dijo nada y entró a la cocina. La cacariza sonrió cómplice y me ayudo a levantarme antes de irse; la agresividad de la tarde se había disipado. El olor a café me reanimó y cuando Lucila me dio la taza, la interrogué con la mirada.

–El hijo del dueño quiere echarnos para vender la vecindad y preparó una especie de redada, pero nos pusimos de acuerdo con los polis y todo ha sido un simulacro. Siento que te haya tocado, se adelantaron un día, por eso no le había dicho nada a Ramón.

–¿Y dónde está?

–Se lo llevaron con don Mata para que lo reanime. Con la mota y el susto se le fue el santo al cielo.

Me quedé pensando en lo que había sucedido

antes de que llegaran los supuestos polis. No distinguía entre la realidad y mis sueños pachecos.

–¿A poco se puede hacer eso?

–¿Qué?

–Ponerse de acuerdo con los polis. Si el dueño quiere sacarlos, lo hará tarde o temprano, ¿no crees?

–En realidad no. Si logramos permanecer aquí medio año más, el gobierno tiene la obligación de hacernos propietarios. No me preguntes por qué, eso lo arregla la líder de los ambulantes y, mientras estemos con ellos, nos protegen –al decir esto me observaba con atención, tratando de adivinar mi estado de ánimo–. No te enojes, pensé que todo este desmadre sería hasta mañana, nunca hubiera dejado que te quedaras. Lo siento, en serio.

Lucila parecía inquieta. Yo no estaba molesta con ella, me sentía atontada y la situación me parecía una broma de mal gusto.

El reloj de Lucila marcaba la una de la mañana. Imposible, tenía poco de haber llegado a la vecindad.

–Mejor te quedas a dormir, ya es muy tarde y los polis andan muy cerca, tienen que hacer la farsa completa.

–No puedo quedarme... –la sensación de olvido se acrecentó. Pensé en Bernardo, que seguramente habría ido a casa a esperarme; y en mi madre, que aprovecharía la oportunidad para joderme. A Rosendo no me lo imaginaba, era la primera vez que me ausentaba sin avisarle.

Debí verme muy preocupada porque Lucila salió sin decir palabra y cuando regresó me dijo que un cuate me iba a dar un aventón hasta mi casa, pero ya, que tenía que apurarme. Apenas pude despedirme de ella y encargarle saludos a Ramón. La cacariza y la gorda me escoltaron a una esquina. Un tipo de edad indefinida y mirada evasiva esperaba en una carcacha. Le di mi dirección y nos pusimos en marcha. Las calles estaban solitarias y llenas de basura. En una esquina, a lo lejos, distinguí una masa negra moviéndose. Creí que todavía tenía los efectos de la marihuana, pero cuando pasamos frente a la esquina me di cuenta de que era una multitud de ratas que se daba un festín en un tiradero de basura. Recordé la imagen: horas antes en el mismo sitio, una multitud de gente caminando como en procesión, entre otra multitud que vociferaba vendiendo sus productos.

Hicimos el camino en silencio y a gran velocidad. Desde que entramos a la calle de mi domicilio distinguí el carro de Bernardo. Nada bueno me esperaba.

En cuanto salí del auto, el tipo arrancó sin que pudiera distinguir su rostro ni terminara de darle las gracias. Hubiera preferido regresar con él, donde mis amigos. La carcacha se alejó a gran velocidad y me sorprendió no verla hacerse pedazos en el camino.

VI

Caminé lentamente hacia la puerta. En cuanto metí la llave en la cerradura, alguien abrió por dentro. Bernardo me abrazó.

–Estaba muy preocupado, Etél, ¿estás bien?, ¿por qué no llamaste? ¿Por qué dejaste tu celular en casa?

Visualicé a mi madre y a Bernardo en mi cuarto, esculcando. Se odiaban, pero cuando se trataba de algo relacionado conmigo se unían. Mamá decía que Bernardo era un bueno para nada y Bernardo que ella era una bruja.

–No la consientas, primero pregúntale dónde anduvo. A mí no me la hace, estás demasiado verde para entenderlo.

Lo dijo como por casualidad con un tono irónico bastante forzado. Rosendo trajinaba en la cocina. Hacía tiempo que lo veía la mayor parte del tiempo lavando trastes o preparando comida que nadie probaba. Sin duda huía de mi madre, pues sabía que era el lugar que más detestaba. Se asomó con cara preocupada y me estudió por unos segundos antes de desaparecer entre el ruido de ollas y cazuelas que no dejó de mover un solo instante.

Mi madre, sentada con la pierna cruzada en el sillón individual de la sala, me miraba con una expresión burlona. No se había quitado la ropa de trabajo: un vestido de lana gris, medias negras, zapatos de gamuza negros, arracadas de oro, un collar de perlas falsas y varias pulseras de oro.

–Ven hijita, siéntate y explícanos dónde estuviste y por qué no llamaste para avisar que llegabas tarde. Y por qué –hizo una pausa dramática– no le avisaste al pobre de Bernardo, con quién y haciendo qué. Ven, platícanos.

Transpiraba, tenía gotitas de sudor entre la nariz y los labios. Olía a alcohol, yo le había dado una magnífica oportunidad para emborracharse a principio de semana. Seguro necesitó relajarse ante la preocupación de mi ausencia y el alcohol era su método.

Me senté en la sala sin saber qué decir. Bernardo y mi madre me miraban inquisitivos. Rosendo se asomaba de vez en cuando de la cocina en espera de mis palabras.

–Quiero ir a dormir, estoy muy cansada –fue lo único que atiné a decir. Por ningún motivo les hubiera contado lo que sucedió en casa de Ramón y Lucila, no era creíble y yo misma dudaba de los hechos.

–No, hijita. Primero nos cuentas, ¿te da pena, te fuiste de putita? Eso no se hace, te lo he dicho mil veces, aquí el pobre de Bernardo muriéndose de la preocupación y tú haciendo cochinadas, al menos sé honesta y díselo, hijita, anda, nadie va a juzgarte por eso, ¿verdad Bernardo?

–Me voy, lo bueno es que estás bien, mañana platicamos –dijo Bernardo mientras recogía su mochila y su chamarra. Se veía confundido, sabía que mi madre decía tonterías cuando estaba borracha, pero parecía dispuesto a creerse ésta.

–Sí, anda, hijo, vete. Pero recuerda que así no vas a llegar a ningún lado. Tienes que ser más enérgico, por eso digo que eres un bueno para nada.

Bernardo trató de darme un beso, pero se arrepintió y sólo apretó mi hombro. Nadie le dijo adiós ni lo acompañó a la puerta.

Mi madre tenía los ojos fijos en la nada, parecía estar atenta a una película que se desarrollaba en su mente. El rímel se había chorreado en su piel blanca y varios mechones se le escapaban del peinado. Me levanté tratando de no hacer ruido, como si mi madre efectivamente no pudiera verme. Una vez cerca de las escaleras apresuré el paso y subí los escalones de dos en dos. Me encerré en mi recámara, atenta a cualquier ruido, pensando que mi madre vendría tras de mí. Poco después escuché los pies pesados de Rosendo, quien tocó a mi puerta y entró sin esperar respuesta.

Se sentó en la orilla de la cama, recargó los codos en las rodillas y se entretuvo frotando sus manos como si hiciera frío.

–Estaba muy preocupado, Bernardo vino a buscarte desde las seis. Nos dijo que faltaste a la escuela, al instituto y que nadie te había visto. Te llamamos varias veces al celular. Tu madre empezó a beber casi de inmediato de la preocupación. Llamamos a la policía, pero nadie quiso atendernos. Tu madre y Bernardo esculcaron tu cuarto tratando de encontrar algo que les diera un indicio de dónde estabas y encontraron tu celular apagado.

Claro, lo sabía. Mi madre aprovechaba cualquier oportunidad para hurgar en mis cosas y nadie era capaz de impedirlo.

Rosendo guardó silencio un momento, esperaba mis comentarios, sabía que odiaba que revisaran mis cosas. Puso su mano en mi rodilla y me la acarició como si fuera una bola de cristal.

–No me hagas eso, sé que prefieres no hablar con tu madre, pero al menos ten la atención de avisarme a mí en dónde andas, estaba muy preocupado y ni siquiera me sentía en confianza de demostrar angustia, y lo sabes.

Lo miré largamente a los ojos. Me concentré en lo que hubiera querido decirle con los míos, pero parecía no entender. Entrecerró los párpados y después siguió hablando sin mirarme una sola vez de frente, parecía nervioso.

–Creí que no ibas a regresar nunca. Traté de imaginar a dónde podrías haber ido, pero me fue imposible. Te conozco poco. Me angustió la idea de no volver a verte ni saber de ti –yo seguía con la vista fija en sus ojos que me evadían. Se levantó de un salto y salió de la recámara, cerró la puerta tratando de no hacer ruido sin haberme mirado una sola vez a los ojos.

Permanecí un rato sentada tratando de reconstruir lo sucedido en casa de mis amigos. Sentí cosquillas en la entrepierna y me acordé de la piel de Lucila. Saturada de emociones y sensaciones, me quité la ropa y me metí desnuda bajo las cobijas.

Lucila se alza la falda del traje sastre hasta la cintura y de la tanga sobresale un falo grueso y largo que se mueve de forma vertical como invitando al tacto. Mi mano se acerca, pero no llega. El pene crece continuamente y se aleja cada vez más de mi alcance. No siento deseo o placer, sino curiosidad por comprobar si lo que abulta la tanga de Lucila es efectivamente una verga.

Desperté con los gritos de mi madre en el pasillo, prometiendo que se tiraría de las escaleras si alguien no salía a rescatarla de los demonios que ella era incapaz de controlar. Me tapé la cabeza con el edredón y deseé que se aventara del barandal como tantas veces había amenazado, deseé que ya no despertara en el hospital, deseé no volver a verla nunca. Estuve mucho rato escuchando la conversación que mantenía con alguien que no estaba ahí. Hacía meses que ni Rosendo ni yo salíamos a calmarla, era inútil: sólo se calmaba cuando quería.

Horas después, poco antes del amanecer, escuché los gemidos de alguien que hace el amor. Me levanté de un salto y pegué la oreja a la puerta. Se escuchaban demasiado lejanos como para que sucedieran en la misma casa, o eso quise creer. Meses atrás mi madre se encargó de ponerme al tanto de sus relaciones con Rosendo.

–Hace tiempo que no se le para, ya no sirve ni para eso y lo peor es que nunca fue bueno.

Lo dijo un día mientras desayunábamos, como quien habla del cambio de temporada o de la crisis: con la mayor resignación ante los hechos.

Regresé a mi cama porque sentí una corriente de aire frío, pensé que alguien habría abierto una puerta aunque no escuché girar el picaporte ni su rechinido. Cerré los ojos. Sabía que no conciliaría el sueño. Agucé el oído, pero no percibí nada más.

El silencio de la calle fue sustituido por los rumores matutinos que poco a poco aumentaron hasta convertirse en ruido. La casa se animó, escuché la regadera y los tacones apresurados de mi madre hacia la cocina. Me sorprendía su resistencia, no importaba cuánto hubiera bebido un día antes, nunca faltaba al trabajo y su puntualidad era envidiable.

Estaba por conciliar el sueño cuando entró a mi cuarto y me dijo que bajara a desayunar. Me levanté de un salto, la obedecía como si fuera una niña, y mientras bajaba las escaleras me recriminé por no haber ignorado la orden. Me senté frente a uno de los platos. Mi madre usaba un pantalón de pana y un saco de lana, las botas de tacón de aguja le impedían caminar con naturalidad. Usaba ropa inadecuada para la temperatura caprichosa de la ciudad. Tenía aire distraído, todavía no se reconstruía el rostro y los ojos se le perdían entre las arrugas y las ojeras.

Trataba de tragar el huevo sin hacer muecas de asco. Rosendo devoró el suyo sin masticar y, de un trago, se tomó el jugo de naranja. No hubo cruce de miradas ni palabras, como si estuviéramos solos en dimensiones diferentes, que por un momento comparten el mismo espacio. Rosendo tomó su portafolio y salió de la casa sin despedirse. Mi madre tendría que hacerlo casi de inmediato, viajaban juntos aunque no se dirigieran la palabra. Antes de salir, dijo:

–Ahora sí te pasaste con Bernardo, no es mal muchacho, aunque sea un bueno para nada. Debes disculparte. La putería, mija, no es algo que pueda controlarse y es mejor aprender a vivir con ella, me entiendes, ¿verdad?

–Hueles a alcohol, a ver si te bañas y perfumas con más cuidado. Apestas.

Sabía que la impresión que causaba ante los demás era lo más importante, se sentía orgullosa de ser la mejor vestida, maquillada y perfumada en su trabajo. Se abalanzó hacia mí con un molinillo para hacer chocolate. No dudé de su golpe certero y tampoco me moví un centímetro. Azotó el molinillo en la mesa y me acarició la barbilla. Salió de la cocina y poco después escuché el motor del carro que se alejaba.

El teléfono sonó justo antes de que me diera un regaderazo.

–Bueno.

–¿Cómo estás?

–Bien gracias…

–¿Qué pasó ayer, dónde andabas, por qué te desapareciste, qué hiciste?

–Ya no quiero estar contigo.

–¿Hay alguien más?

–No, es…

–Dímelo, al menos tengo derecho a saberlo. Has estado más rara que de costumbre, hasta tu madre está preocu…

–Hazme el favor de no mencionar a esa mujer, estamos hablando de nosotros, ¿no?

–¿Qué te pasa? ¿Qué hice, por qué me tratas así?

–No te ofendas. Es que ya no te quiero como antes y se me hace una hipocresía seguir así contigo. Lo siento.

–Eso es lo que tú quieres, ¿y yo qué? Crees que es tan fácil: ya no te quiero y se acabó. Qué cómodo.

–No te pongas así, estoy tratando de ser sincera.

–Hasta ahora, ¿por qué no lo dijiste antes? No me digas que ayer te levantaste y te diste cuenta de que ya no me querías, pinche hipócrita, eres peor que tu madre.

Cortó la comunicación. Sabía cómo lastimarme, odiaba las comparaciones con mi madre, buenas o malas, hubiera querido que nadie me relacionara con ella. Bernardo me conocía, y dio en el blanco.

Me bañé y decidí adelantar la visita de los jueves a mi abuelo. En el camino al asilo, las palabras de Bernardo, que no habían dejado de revolotear en mi cabeza, me hicieron sentir miserable. En cierto modo tenía razón. Uno no deja de amar a alguien de la noche a la mañana. No sé si el amor llega de golpe, quizá es algo que maquinamos en la cabeza como una abstracción y después sucede, y sucede tan de repente que parece salido de la nada. Entonces se materializa en alguien. Lo que era cierto es que mi amor por él no había acabado de la noche a la mañana, lo había presentido, supe que se iba y no hice nada para retenerlo.

Conforme me aproximaba al asilo, sentí a Bernardo más lejos de mí, y que la sensación de olvido se acercaba.

VII

En cuanto las gruesas puertas de cristal se abrieron, supe que no debía haber ido. Las rutinas del abuelo eran rígidas y detestaba las variaciones en su dinámica. Le daba miedo sentirse querido y luego, abandonado.

Atravesé el pasillo indecisa, estaba a punto de regresar sobre mis pasos cuando la recepcionista me saludó.

–Buenos días, cambiaste tu día de visita. El señor Bárcenas debe estar en su habitación. Llena el formulario y pasa –se irguió un poco de su asiento y al ver mis manos vacías preguntó–: ¿Y ahora no le traes sus golosinas? Mejor, luego lo mal acostumbras y nosotras tenemos que lidiar con el testarudo de tu abuelo.

La cuota que pagaba mi madre, amiga del director, no incluía la discreción de los empleados. Trataban bien al abuelo, pero siempre encontraban la menor oportunidad para dejar claro que sabían que mi madre no pagaba las cuotas completas y para quejarse del carácter del abuelo. Era un asilo de medio pelo, no tan miserable como los de asistencia pública, pero tampoco lo suficientemente lujoso para desentenderse de detalles como las sábanas y la comida. El dinero que mi madre ahorraba con el descuento, lo usaba para que las sábanas se cambiaran cada semana, alguien aseara las habitaciones cada tercer día y la comida fuera mejor y más abundante que la del resto de los internos. A mi abuelo no le parecía, y a veces renunciaba a la comida. No lo hacía por un sentido de solidaridad, sino para conseguir igualdad de circunstancias; decía que el que recibe privilegios siempre está apestado y que las reglas básicas de supervivencia en cualquier lugar lo obligaban a solidarizarse con las condiciones del resto. Le parecía que estaba en un internado para adolescentes, donde su integridad física podría correr peligro, pero en un asilo entre ancianos, donde la mayoría eran muertos en vida, difícilmente hubiera imaginado que las normas básicas de convivencia de las que tanto hablaba tuvieran alguna validez.

Toqué y nadie me contestó. Grité su nombre con la oreja pegada a la puerta y ésta se abrió de sopetón. Una mujer sudorosa con un par de cubetas y un trapeador en las manos y varios utensilios de limpieza en los bolsillos de su delantal salió de prisa. Ni siquiera tuve oportunidad de preguntarle por el abuelo. Desapareció tras la puerta de otra habitación.

El espacio del abuelo estaba formado por un recibidor con tres sillones, un refrigerador, dos mesas esquineras y una de centro; una habitación con cama, televisión, reproductor de DVD y radio y un baño con tina. Los cuadros que adornaban las paredes mostraban paisajes inexistentes, asépticos y de colores planos. Sólo algunas fotografías sobre las mesas daban idea de que alguien vivía ahí. Estuve a punto de intentar abrir el armario y los cajones que el abuelo mantenía bajo llave tan celosamente; no dejaba que nadie husmeara y, era tanta su obsesión, que llegué a pensar que tendría algo prohibido. Sin embargo, después de platicar con Rosendo llegamos a la conclusión de que era lo único con lo que podía mantener un poco de dignidad. Había perdido todo, vendió la casa cuando la abuela murió y repartió el dinero entre mi madre y algunos sobrinos. Luego se empeñó en vivir en un asilo a pesar de que mi madre le ofreció vivir con nosotros.

Era un hombre complicado y contradictorio. Trataba de disfrazar su decrepitud con el sarcasmo y el mal humor, pero después de un rato se volvía locuaz y amable, hasta que caía en la cuenta de que había olvidado representar su papel y se volvía taciturno e irreverente.

Me senté en la cama a esperarlo. Después de un rato fui a buscarlo. Había áreas comunes donde las visitas podían pasar sin problemas: la sala de juegos, el cine, la cafetería, el jardín, el gimnasio. No había rastros de él por ningún lado. Pregunté a un par de ancianos que lo conocían pero no supieron indicarme dónde se encontraba, de hecho me pareció que evadían mis preguntas y se hacían los locos seniles para no darme una respuesta precisa. Tenía más de un año visitándolo y ya había entendido que los ancianos eran tanto o más mañosos que los niños: chantajistas y berrinchudos.

Me senté en una banca del jardín pensando qué hacer o dónde buscarlo. Frente a mí pasó una de las amigas de mi abuelo, la había visto en el comedor y fingió no reconocerme, luego la vi en el gimnasio y parecía perdida. Por un momento creí que me estaba siguiendo, pero no encontré una justificación para tal comportamiento.

La figura maltrecha y jorobada de mi abuelo no aparecía por ningún lado. Recordé la historia que me contaba cuando era pequeña: un brujo hindú lo transformó en una piltrafa humana a cambio de algunos años de felicidad. Afirmaba que había sido guapo, alto, de cuerpo atlético y proporcionado. Nunca le creí, pero años después, mientras revisaba algunas fotos viejas, reconocí su mirada distante y su nariz aguileña en un cuerpo proporcionado y atlético, justo como él se había descrito. Nunca le pregunté a nadie lo que le había sucedido. Mi conclusión fue que la edad lo había deformado e inventaba la historia del hindú para hacerse el interesante. Tenía una pequeña joroba entre los omóplatos, el hombro izquierdo más elevado que el derecho y una cojera caprichosa que podía estar tanto en un pie como en otro.

Solía visitarlo los jueves. Tan pronto me veía, empezaban los reclamos y reproches. A veces porque sólo lo visitaba una vez a la semana; otras porque lo visitaba demasiado seguido y no lo dejaba hacer su vida; otras porque siempre iba los jueves. Estaba tan acostumbrada a su mal humor que fingía escuchar su perorata, pensando en otra cosa. Luego de unos minutos, cuando se desahogaba, platicábamos un poco.

La complicidad que disfruté durante mi niñez casi había desaparecido. Hablábamos de política, de comida, de chismes de la farándula, del regreso de las minifaldas, de algún programa de televisión. Varias veces intenté sacarlo a pasear, pero siempre encontró algún pretexto para no hacerlo, hasta que dejé de insistir y me limité a una visita de dos o tres horas encerrados en su cuarto. No le gustaban las áreas comunes y, aunque tenía un par de amigas, no parecía tener una relación entrañable con nadie.

Nunca le perdonó a mi madre que lo hubiera abandonado en el asilo. Si bien se puso difícil y su primera respuesta fue una negativa; no cabía duda de que quería que le rogaran un poco más para quedarse con nosotros, pero mi madre no lo hizo. En cuanto se dio cuenta de que estaba a punto de ceder, dejó de insistir y lo metió al asilo. Yo entendía sus rabietas y el rencor que le guardaba a mi madre, nunca hablaba bien de ella.

No había rastro de él y los viejos ignoraban mis preguntas sin dejar de mirarme. Volví a recorrer el asilo. Cuando lo llevamos a su nueva casa, el abuelo palideció al entrar. No dijo nada pero más de una vez se le doblaron las rodillas, tenía una expresión de asco que no lograba disimular. Mi madre parecía satisfecha con las instalaciones. Nada era como en las fotografías que nos habían enviado. El gimnasio, la pantalla de cine, la sala de juegos, el jardín, las habitaciones con tina y alberca estaban en decadencia; parecía que hubieran abandonado el lugar hacía mucho tiempo. Los jardines no tenían ningún tipo de mantenimiento, las plantas y arbustos crecían sin control por todas partes. La limpieza del lugar no lograba disimular el desgaste de los muebles. Mi madre fingió no darse cuenta de la ruina ni del malestar del abuelo. Lo dejamos en su cuarto y se despidió de él como si lo dejara en el mejor de los lugares posibles. Traté de decirle que el abuelo no quería quedarse ahí, pero una mirada severa y un apretón en el brazo hicieron que me callara, el abuelo no estaba dispuesto a demostrar debilidad ante su hija y creo que hubiera sido inútil, mi madre ya había tomado su decisión.

Cuando dejé de divagar y puse atención a mi alrededor, estaba rodeada de ancianos. Vi algunas caras familiares, pero parecían no reconocerme y me miraban con un aire distante y enloquecido. Entonces una de las enfermeras me arrastró del brazo hacia la salida.

–Eres la nieta del señor Bárcenas, ¿verdad?

–Sí, pero no lo encuentro.

–Claro que no lo encuentras, salió o se fugó, o como quieras verlo, tu abuelo sale con frecuencia y es evidente que no esperaba tu visita. No está aquí.

–¿A dónde fue?

–No lo sé, mi trabajo es aquí dentro, no tengo por qué saber a dónde diablos se larga tu viejo –molesta y alterada, miraba constantemente alrededor y no me soltaba el brazo.

–Suéltame, ¿qué te pasa, por qué estás tan nerviosa?

–Cómo se ve que no conoces a estos viejos, son capaces de todo. Más vale que tengas cuidado; si tu abuelo no está, es mejor que lo esperes afuera o que regreses otro día.

Me soltó de un empujón y se alejó por el pasillo. Su alteración era excesiva, reconozco que por un momento la presencia de todos esos viejos me intimidó, pero no creí que fueran peligrosos.

Recogí mi credencial y regresé el gafete. La recepcionista escuchó la conversación que mantuve con la enfermera. Iba a preguntarle por el abuelo, cuando me contuvo con una seña y contestó su celular. Nunca lo escuché sonar, pudo estar en vibrador pero no creo, era evidente que evitaba hablar conmigo.

Abordé un colectivo que me dejó en el centro de la ciudad, había decidido caminar de regreso a casa desde ahí. Quería ordenar mis ideas y necesitaba un poco de aire. El exceso de gente y el mal humor me impedían pensar con claridad.

Tenía miedo por el abuelo, pensé que algo le habría ocurrido y que me lo estaban ocultando. No sabía qué hacer, si llamar a mi madre o a Rosendo o regresar al asilo y esperar hasta saber dónde y cómo se encontraba. La sensación de olvido desapareció casi completamente y mis problemas se me hicieron ridículos en comparación con todas las cosas terribles que imaginaba que le habrían sucedido al abuelo.

Descendí del pesero y mientras caminaba por el Zócalo recordé el incidente con Ramón y Lucila, pensé que debí llamarlos para saber si estaban bien, sobre todo Ramón, de quien ni siquiera tuve oportunidad de despedirme. Estaba cerca de su casa pero no quise pasar, tenía miedo, más por lo que había pasado entre Lucila y yo, que por la farsa con los policías. Además, ni siquiera estaba segura de que hubiera sucedido lo que recordaba. Y por alguna razón me sentía avergonzada.

Seguí caminando, con la mirada perdida en mis miedos. Me detuve en un changarro sobre Isabel La Católica y mientras comía vi salir al abuelo de una de las cantinas. No estaba solo; una mujer gorda y de edad indefinida lo acompañaba, iban abrazados y reían. Pasaron frente a mí y ni siquiera me vieron. Caminé un par de pasos con el plato de los tacos en la mano, apenas había comido un par de los cinco que pedí. Regresé, dejé el plato en la barra y pagué.

Caminé un par de cuadras tras el abuelo y su acompañante. Me sentía humillada, lo esperé largo rato en el asilo, luego la preocupación hizo que imaginara cosas terribles y una espantosa culpabilidad se había gestado en mi interior. Y ahora encontraba a mi abuelo, borracho, sin rastros de su supuesta cojera y con una puta colgada del brazo. No era difícil imaginar hacia dónde se dirigían. Los tacos se me revolvieron en el estómago, apresuré el paso. Quería decirle que había estado muy preocupada y que debía avisarme que a veces salía y no tenía hora fija de regreso, ni horario, ni nada pues yo era la única que lo visitaba.

Cuando estaba a punto de alcanzarlos, estiré mi mano para jalonear a la puta e increpar al abuelo. Este impulso me recordó a mi madre y a las palabras de Bernardo. Me detuve, espantada de joderles la velada, y los seguí con la vista algunos metros hasta que entraron a un hotel con la mayor naturalidad. El dolor de estómago desapareció y recordé que había olvidado algo.

Sabía muy poco del abuelo a pesar de sentirlo tan cercano. La congoja de no conocer a los seres que quería hizo que la sensación de olvido regresara con más fuerza.

La luz natural se desvanecía poco a poco. Mientras caminaba por San Cosme la iluminación de la calle se encendió. A lo largo del muro de un estacionamiento había varias mujeres, distribuidas a poca distancia unas de otras, en espera de clientes. Dos de ellas charlaban animadamente en una parada de autobús, ajenas a lo que sucedía a su alrededor. Me dieron ganas de pararme un momento a su lado y no pensar en nada, disminuí la velocidad de mis pasos y pasé de largo.

Ya era de noche. Las luces de la planta baja de la casa estaban encendidas. El recuerdo vívido de las sensaciones de los días pasados interfería con mis emociones. Sentía los brazos de Lucila en la cintura y la opresión del asilo, pero no podía recordar lo que había olvidado. La desazón de volver a un hogar que no sentía mío retumbó en mis rodillas, incapaces de sostenerme.

VIII

Nadie dijo nada cuando entré a casa. Mi madre, sentada frente a la televisión apagada, ni siquiera me miró. Fui directo a la cocina donde encontré a Rosendo como siempre, recogiendo y lavando trastes. Apenas me saludó con un levantamiento de cejas, parecía absorto en profundas reflexiones. Hubiera querido platicar con alguien de lo sucedido en el asilo, pero Rosendo no parecía dispuesto a escucharme y a mi madre no se lo hubiera dicho ni mediante tortura.

Subí a mi cuarto. La sensación de olvido se instaló en el hueco de mi estómago y sentí retortijones muy similares a los de la diarrea. Corrí al baño pero no salió nada, apreté el vientre y luego de algunos pedos, el malestar disminuyó hasta casi desaparecer. Tenía hambre, pero no me atreví a bajar a la cocina. Hacía más de dos semanas que no estallaba una discusión verdadera, nadie parecía querer detonarla. La tensión de los días pasados no era nada comparada con las batallas que mi madre solía provocar y sostener sin tregua hasta que se desahogaba. La aparente calma me estaba desquiciando, no había nada más amenazador en casa que el silencio.

Permanecí un rato sentada en la taza del baño. Luego regresé a mi cuarto y cuando cerré la puerta sentí que me había encerrado en el vacío. Tenía miedo: había olvidado que debía ser importante y la dinámica familiar se había transformado completamente sin motivos aparentes. Mi madre parecía distraída, Rosendo, taciturno e indiferente, mi abuelo estaba en mejores manos con aquella mujer que conmigo, y Bernardo no me había llamado, quizá ya no lo haría.

Dormí poco y mal. Por la mañana inventé un malestar para no levantarme. En cierta forma era real, pero no era físico, iba más allá de mis entrañas. No hicieron preguntas, Rosendo puso su mano sobre mi frente y mi madre me dio una pastilla que escondí bajo el paladar y luego escupí.

–Te vas a sentir mucho mejor, querida –su tono irónico no dejaba lugar a dudas, sabía que no me sentía mal, pero estaba dispuesta al juego de la madre preocupada–. A ver si cuando regresemos te encontramos en casa, supongo que te vas a recuperar muy pronto, ¿verdad? –solía usar el cinismo pocas veces, le ganaba la euforia y terminaba discutiendo airadamente por cualquier cosa. Por eso me dio tanta desconfianza su aparente tranquilidad.

Algo extraño sucedía a mi alrededor, estaba demasiado preocupada por lo que había olvidado como para prestar verdadera atención a todo lo demás. Tenía días de no hablar con Rosendo y cuando le buscaba la mirada me veía sin verme. La comunicación a base de señales y miradas que ideamos años atrás había desaparecido por completo.

Escuché entre sueños el motor del carro y me quedé dormida pensando en Bernardo.

Sentada frente al escritorio escribo con una pluma fuente, pero la letra plasmada en el papel no es mía. No puedo mantener mi mirada sobre la hoja, algo me jala la nuca hacia atrás. De momento no me importa qué o quién lo provoca, lo único que quiero es terminar. La nuca se sigue venciendo, no hay modo de detenerla. Pierdo el equilibrio y el peso de mi cabeza me gana, la silla se va hacia atrás. Caigo de cabeza a gran velocidad. Alzo mis brazos instintivamente para detenerme o para que alguien me sostenga, pero la caída es libre. No toco fondo.

Desperté y miré el reloj que parpadeaba. De pronto se me ocurrió que quizá lo que había olvidado se encontraba dentro de mi habitación. A veces lo más evidente es lo menos visible. Me levanté de un salto, quité las sábanas y la almohada, miré bajo el colchón y bajo la cama. Era difícil que encontrara algo. Desde que recordaba, mi madre tenía la costumbre de hurgar en mis cajones. No me atrevía a tener cartas de amor ni diarios ni boletos de entradas al teatro o a conciertos ni recuerdos de ningún tipo. Todo podía ser usado en mi contra. Además la habitación tenía que estar perfectamente recogida y limpia, de lo contrario mi madre gritaba y pataleaba, no se cansaba nunca. Para evitar las escenas, me acostumbré a no desordenar demasiado y a recoger al menos por encimita. Me sorprendió encontrar en los cajones de mi escritorio documentos de la universidad perfectamente catalogados, no recordaba haberlo hecho. En mi armario y en los cajones, mi ropa estaba cuidadosamente doblada. No me reconocí tan obsesiva. Saqué los libros de mi pequeño librero y los hojeé en busca de algo que hubiera escondido y que no recordara. Mi madre no los revisaba, le parecían inútiles y evitaba tocarlos, como si pudieran contagiarla de alguna enfermedad. Por lo anterior, había un par de libros que albergaban los únicos secretos que me permitía: una bola hecha de vello púbico de Bernardo y mío, el recibo de pago de mi primer trabajo, una carta que nunca me atreví a enviar al destinatario, un recorte de periódico donde aparecía la foto de mi padre, en una entrevista que le hicieron como aficionado a un equipo de futbol y una muñeca de papel que yo misma diseñé cuando era niña con tres cambios de ropa y zapatos. Dejé esos libros para el final y me dediqué a buscar recuerdos perdidos en el resto; en cuanto terminaba de revisar los tiraba al piso. Me decepcionó mucho no encontrar nada. Quise mirar los tesoros que se hallaban en un par de libros bien identificados: abrí uno grueso, de gramática, que en mi vida había consultado, busqué en su interior sin encontrar nada. Lo volví a intentar con más cuidado: nada. Luego tomé el otro libro, un diccionario de símbolos que rara vez usaba, tampoco había nada. Pensé que me había equivocado, pero de cualquier modo ya había revisado todos sin éxito. Mi madre los habría encontrado, no había otra explicación, ¿qué les habría hecho, los tendría escondidos o los habría tirado a la basura?

Me lancé a su habitación, nunca lo había hecho. Primero la observé detenidamente. La cama, un buró de cada lado, un armario que abarcaba dos paredes y un tocador. Nada más, nada fuera de su lugar.

Miré debajo de la cama. Nada. En los cajones del buró de Rosendo sólo encontré objetos de aseo personal: cepillos, peines, grasa para los zapatos, paños, cortaúñas, un par de lociones y un pequeño álbum de fotos familiares que mi madre estuvo a punto de tirar, en un intento por borrar todo vestigio del pasado de Rosendo antes de que se convirtiera en mi padrastro. Seguramente mi madre sabía que el álbum existía y lo toleraba. En los cajones del buró de mi madre tampoco encontré gran cosa: broches para el cabello, un rosario perfumado, cremas para la cara, pastillas para la indigestión y la cruda.

Me senté en el taburete enfrente del espejo en forma de luna, si hubiera sido mío lo hubiera tenido lleno de fotografías, atoradas en el marco. Encendí las luces y me observé: fue difícil aceptar el parecido con mi madre. Las diferencias radican en la tez de la piel: yo soy morena, ella es blanca amarillenta; en el cabello: el mío es negro, el de ella castaño claro; y en la expresión. Me pregunté si alguna vez tendría el gesto de mi madre y me espantó tener esa duda.

Empecé con la superficie del tocador: frascos de tonos y olores diferentes, maquillaje, colorete, rimel, sombras para los ojos, lápices labiales y barnices. Todo cuidadosamente ordenado. No cambié nada de lugar. Abrí los cajones inferiores y seguí un orden zigzagueante, izquierda, derecha; derecha, izquierda. Mascadas, collares, pulseras, aretes, anillos, brazaletes, gargantillas. Nada. Ninguna pista. Nada.

Dentro de los armarios encontré el mismo orden y meticulosidad que en el mío. Traté de no desordenar ni cambiar de lugar las cosas. Estaba enojada pero me quedaba un poco de cordura para no detonar la ira de mi madre; además, aunque la creí capaz, no estaba segura de que ella hubiera tomado mis tesoros. Busqué en los bolsillos de cada prenda. Metí las manos en los zapatos y entre los calzones y calcetines. Palpé la madera en busca de algún escondite. ¿Cómo hacen para que parezca que nadie usa las prendas? Gran parte de la ropa que está en mi armario luce arrugada, pero la ropa de Rosendo y mi madre parecía estar colgada en un aparador de una tienda departamental: todo perfectamente ordenado y planchado. Destendí la cama, busqué entre las almohadas, bajo las sábanas y el colchón. Nada. Entonces me sentí observada y me apresuré a ordenar la habitación. Salí de puntitas como si alguien pudiera escucharme en la casa vacía.

Despavorida, entré a mi habitación. Jalé las sábanas y almohadas al piso y regué encima el contenido de los cajones. Tanto orden era desquiciante. Entonces pensé en mi padre, las imágenes que aún conservaba en la memoria me devolvían un hombre triste, quizá desesperado. Murió de una rara enfermedad, de acuerdo a la versión oficial, pero ahora pensaba que mi madre lo había orillado a la muerte de algún modo.

Bajé a la cocina y preparé un par de huevos, un licuado y mucho café. Nadie había llamado. Comí lo más rápido posible. Ya no me preocupaba tanto recuperar mis tesoros, ahora quería encontrar algo que fuera nuestro o de mi madre o de Rosendo, algo en casa que nos otorgara alguna personalidad, alguna identificación. Mientras masticaba, abrí y cerré puertas de los anaqueles de la cocina: trastes, utensilios, cuchillos, electrodomésticos; todo semi nuevo y casi sin usar. Nada, nada, nada.

En la sala y el comedor tampoco. Debajo de sillones, mesas, tapetes; dentro de vitrinas y cajones. Me sorprendió la falta de polvo, de pelusas. Como si la casa estuviera herméticamente cerrada y no permitiera la entrada de nada externo. Los adornos sobre las mesas y dentro de las vitrinas poco o nada decían de la gente que habitaba esa casa. Ni siquiera me había dado cuenta de la falta de personalidad, estaba tan acostumbrada a no tener objetos queridos y a destruir o tirar recuerdos y cartas, que me parecía normal. Pero ahora que observaba la casa, me di cuenta de que vivíamos en una especie de burbuja, aislados de nosotros mismos.

Ya era tarde. Rosendo y mi madre llegarían en un par de horas. Todavía tenía tiempo. Sólo faltaban dos lugares: el cuarto de lavado y el de los tiliches. Ni siquiera tomé en cuenta los baños, parecían salas de operación.

Aparte de la lavadora y la secadora, en el cuarto de lavado había un par de anaqueles, uno contenía varios tipos de detergente y el otro ropa perfectamente doblada. Nada.

El cuarto de los tiliches estaba tan limpio y ordenado que resultaba decepcionante. Había cajas apiladas por tamaño, y su contenido coincidía perfectamente con el nombre marcado: "juguetes", "trastes", "adornos", "navidad", "herramientas", "documentos". Abría y cerraba las cajas distraídamente hasta que me percaté de que en la de los juguetes no reconocía los objetos. Esperaba encontrar restos de mis muñecas viejas, el microscopio que me gustaba tanto, la lotería, los juegos de té; en su lugar encontré un muñeco de goma, un bebé sin ojos que nunca tuve, mamilas, chupones y un grupo de extremidades y cabezas de muñecas que no recordaba. Quizá algunos pertenecían a la infancia de mi madre, porque eran muy viejos, pero otros parecían demasiado modernos, incluso para mí misma. En la caja de los trastos había un par de ollas de peltre despostilladas y pedazos de barro de diferentes piezas; mi madre no tenía trastes ni de peltre ni de barro y no me explicaba por qué guardaba aquello. En cuanto a los adornos de navidad, aunque mi madre cada año se pasaba horas seleccionando lo que volvería a usar, no reconocí ninguno. En la caja de los documentos encontré las actas de nacimiento de mis abuelos, el acta de matrimonio de mi padres y algunas boletas de la escuela de mi madre. También hallé documentos de gente que no conozco, cuyos apellidos no estaban relacionados con la familia. Las fechas eran disparatadas, mi madre no pudo haber conocido a alguien nacido en el siglo antepasado y tampoco era explicable por qué tenía un acta de defunción de alguien que murió dos años antes de que ella naciera. No entendía nada. Traté de dejar el cuarto de tiliches tal y como lo encontré y de nuevo la ausencia de polvo me incomodó. Hubiera querido permanecer más tiempo hurgando en las cajas, pero tenía miedo de que mi madre me descubriera. Salí más confundida que al principio. No encontré nada.

Aturdida, me encerré en mi cuarto. No podía seguir buscando lo que no iba a encontrar. Ya ni siquiera estaba segura de que en verdad hubiera tenido los tesoros que buscaba.

Mi madre y Rosendo no tardarían en llegar. El primero sería Rosendo y si las costumbres no habían cambiado se metería a trajinar en la cocina hasta que mi madre llegara. Estaba oscureciendo pero no encendí las luces, permanecí sentada en el suelo, al pie de la cama. Los libros, sábanas y almohadas seguían regados por todos lados. Recargué mis codos en las rodillas y tomé mi cabeza con ambas manos. Escuché la cerradura de la puerta de la calle y me entró la duda de si había dejado todo tal como lo había encontrado. Ya no importaba, era demasiado tarde. Si había algo fuera de lugar que me delatara, mi madre se percataría de inmediato.

Con los ruidos que escuchaba pude reconstruir lo que hacían: Rosendo preparó la cena y mi madre puso la mesa, comieron en silencio y, cuando terminaron, mi padrastro se metió a la cocina a lavar trastes y a limpiar. Mi madre debió sentarse enfrente de la televisión apagada, como solía en los últimos tiempos. Luego de un rato los escuché subir las escaleras y meterse en su habitación. Poco después uno de ellos entró al baño y después el otro.

Estuve mucho rato despierta en la misma posición, escuchando los sonidos de la casa. Esperaba los gritos histéricos de mi madre en cuanto se diera cuenta de que había hurgado en sus cosas, pero no pasó nada. No preguntaron si me encontraba mejor ni verificaron que estuviera en casa. No recordaba una sola noche con tanto silencio en mi vida. Quizá la que estaba mal era yo y la explicación se encontraba en lo que había olvidado y que no podía recordar.

Bernardo no llamó, tengo que aceptar que estuve esperando el timbre del teléfono todo el día.

Estaba segura de haber guardado mis tesoros en los libros, pues de vez en cuando los sacaba para confirmar que estuvieran ahí. Tenían que estar. Me levanté y encendí la luz. Con mucho cuidado y lo más silenciosamente posible hojeé libro por libro y luego los acomodé en el librero. Nada, mis tesoros no estaban.

IX

Estuve casi toda la noche despierta, a veces me detenía a leer algún pasaje de un libro, más por curiosidad que por verdadero interés, y me preocupaba la desaparición de mis tesoros. La última vez que recordaba haberlos visto había sido tres meses atrás.

Apagué la luz. Me senté sobre la cama y me recargué en la cabecera, que mira al librero. Había muy poca luz y no lograba distinguir más que el tamaño, el volumen y la diferencia de colores de los libros. Pensé que quizá había cambiado el escondite de mis tesoros y que era eso precisamente lo que había olvidado. Traté de hacer memoria de mis acciones durante los últimos tres meses, pero todo fue inútil. No recordaba lo que había olvidado y había perdido las únicas cosas que de verdad eran mías.

Me adormecí al amanecer. Escuché de nuevo el ajetreo sin palabras entre sueños. Cuando el motor del coche de Rosendo se alejó me sobresalté, nadie fue a mi cuarto, no escuché los gritos matutinos de mi madre. Me asomé a la ventana para cerciorarme de la ausencia del coche, que no estaba ahí. Permanecí un rato con el oído atento al interior de la casa, imaginé que mi madre no habría ido a trabajar y que me esperaba agazapada en algún lugar, amenazante.

Abrí la puerta y me asomé al pasillo, agucé el oído y después de un rato de no escuchar nada llamé a mi madre, primero en voz baja, casi en un susurro y luego más fuerte, hasta que grité madre tres veces sin obtener respuesta.

Inspeccioné la casa antes de tranquilizarme del todo y observé que nada estuviera perceptiblemente fuera de lugar o en una posición diferente. Todo parecía en orden y no había nadie más en casa.

El teléfono me sobresaltó y casi tiro la leche que estaba sacando del refrigerador. El timbre sonaba desesperado y me apresuré a contestar porque pensé que sería Bernardo.

–Diga.

–Busco a Etél Hernández.

–Sí, soy yo, ¿quién habla?

–Hola, Etél, soy Mary, del instituto. No has venido y el doctor está preocupado y creo que se preocupó más porque ayer vino Bernardo y estuvo plantado en la entrada un ratote. Seguro te esperaba, pero no preguntó nada y luego se fue.

–Perdón, Mary, estoy un poco enferma y tengo que guardar reposo. Iba a llamarles hoy, pero me acabo de levantar.

–Pero, ¿nada grave? Al menos le hubieras avisado a Bernardo –Mary era la secretaria y cumplía con todos los requisitos de una secretaria, sobre todo el de ser chismosa.

–No, nada grave. Por favor dile al doctor que lo siento, la semana entrante estaré ahí como siempre, espero que no haya ningún problema.

–Uy, no, cómo crees, al contrario. Cuídate mucho y si necesitas cualquier cosa nos llamas, ¿eh?... Por cierto, si viene Bernardo de nuevo, ¿qué le digo?

–Nada, Mary, yo hablo con él –maldita vieja, pensé, siempre metiéndose en lo que no le importa.

Aventé el auricular. Era la última llamada que esperaba. Bernardo no me había buscado. Necesitaba hablar con él, pero no me animaba a hacerlo después de terminar con nuestra relación por teléfono sin haberle dado la cara.

No quería quedarme en casa todo el día. Pensé en el centro, en Ramón y Lucila y de nuevo un sentimiento de vergüenza me ruborizó. Mientras terminaba de desayunar traté de recordar qué podía haber sucedido esa noche para que me sintiera tan turbada y apocada.

Cuando salí de la cocina no pude evitar un gesto de asco al observar la sala y el comedor. Todos los espacios de la casa eran impersonales, limpios, ordenados. Recordé a mi padre, a su familia, el barrio donde nací y crecí hasta los diez años. Me dieron ganas de regresar, de volver a verlos, de recordar a mi padre en su ambiente.

Abordé el metro y luego un pesero. El trayecto duró mucho menos de lo que recordaba. Creo que cada barrio define a su gente, ¿o será la gente la que define al barrio? El pesero se llenó de personas que identifiqué de inmediato sin saber cómo. No los conocía, pero había algo en su forma de vestir, de hablar y de mover el cuerpo que me recordaba a mis amigos de infancia.

Después de atravesar un par de avenidas largas, el colectivo giró hacia la derecha y se adentró en una colonia de casas y edificios descoloridos, con fama de peligrosa. Hacía varios años que, cansada de ir a escondidas, no regresaba por ahí. Rosendo y Bernardo me lo prohibían por el peligro, y mi madre por el desprecio que sentía hacia esa colonia. Pero de todos modos iba sin avisarles. Me sentía confiada porque ahí crecí y parte de la familia de mi padre todavía habitaba algunas de esas casas. Sin embargo, el ambiente era cada vez más hostil. Los hábitos callejeros y de convivencia cambiaron, los vecinos eran más reservados y menos amistosos.

Uno de mis recuerdos más entrañables eran las fiestas callejeras. Las familias obstruían el paso con sus carros, instalaban bocinas potentes que garantizaban escándalo en varias manzanas a la redonda y las fiestas solían durar toda la noche. Mi prima Verónica y yo aprovechábamos el baile y la borrachera para hurgar en bolsas y sacos. Nunca robábamos más de un peso de cada bolsa y no se hubieran enterado de no ser por una bronca inesperada y sorpresiva que se desató justo enfrente de nosotras, mientras esculcábamos un bolso colgado en una silla. La pelea empezó entre dos mujeres que se jaloneaban los cabellos dando vueltas sobre su propio eje, poco después uno de los maridos quiso separarlas y el otro se metió para que no tocaran a su esposa. Entonces todo sucedió muy rápido: aventones, botellazos y sillazos. La mamá de Verónica nos buscó con la mirada para protegernos y nos descubrió cerrando un monedero e introduciéndolo en una bolsa. Al principio pensamos que la bronca se había desatado por nuestra culpa. Mi tía nos metió a la casa y sin mediar palabras nos cacheteó. El golpe hizo que perdiera el equilibrio y caí más espantada que adolorida. Verónica lloraba mientras se sobaba la mejilla. Mi papá me levantó del suelo, yo no lo había visto porque llegó por detrás y pataleé pensando que alguien más me daría mi merecido. Mi tía tuvo el buen tino de no delatarme. Papá me sacó en brazos de la fiesta, sentía que me apretaba y encorvaba la espalda para protegerme. Cerré los ojos y me aferré a su cuello. Escuchaba gritos, golpes y gemidos. Me la pasé llorando todo el camino a casa, me sentía culpable, pensé que Verónica y yo habíamos provocado la pelea por rateras.

Mi madre nos esperaba en la puerta. Me arrebató de los brazos de mi padre y me inspeccionó. Luego me bajó al piso y me quedé en medio de los dos, mientras discutían. Mi padre casi no hablaba, mantenía la vista baja y contestaba algo de vez en cuando, que era acallado por los gritos llorosos de mi madre. Zangoloteó a mi papá de la camisa y se la rasgó. Traté de empujarla para que lo dejara en paz pero sólo gané que me tomara del pelo y me aventara hacia un lado. Entonces mi papá la abofeteó, me tomó en sus brazos y me llevó a la cama.

Mi madre odiaba las fiestas del barrio y nunca asistía. Mi papá, en cambio, iba cada fin de semana con amigos o familiares y me llevaba a escondidas. Yo prefería ir con él porque jugaba con primos y amigos. Por el contrario, si me quedaba con mi madre, me mandaba temprano a la cama y se la pasaba quejándose de un malestar que ya entonces intuía falso.

Las peleas y discusiones entre mis padres se presentaban casi todos los días. Era difícil ver a mi madre tranquila. La única vez que la recuerdo contenta fue cuando mi padre anunció que nos mudábamos. Yo no quería irme del barrio, ni siquiera me dejaron terminar el año escolar y a duras penas pude despedirme de mis amigos.

La casa donde nos cambiamos era mucho más grande, ya estaba amueblada y equipada. Hubo varios detalles que no le agradaron a mi madre, pero mi papá le dio luz verde para que hiciera los cambios necesarios. El primer mes transcurrió sin sobresaltos, no escuchaba que mis padres discutieran y mi madre parecía menos severa e intolerante. Extrañaba mucho a mis amigos y no pude adaptarme a la nueva escuela que me aceptó a mitad de año. Todos parecían esperar mucho de mí y yo no estaba acostumbrada a las tareas todos los días y a no tener con quién salir a la calle por las tardes. La casa era bonita y mi cuarto enorme, pero me sentía sola y aburrida.

Recuerdo el segundo mes en la nueva casa como un sueño. Mi papá se quejó a mitad de la noche de un dolor insoportable en la espalda, fueron al hospital y me dejaron encerrada. Regresaron en la madrugada.

Yo no quería ir a la escuela al otro día, pero no hubo poder humano que convenciera a mis padres de que necesitaba dormir y quedarme en casa. Me despedí de papá con un beso en la mejilla, se veía demacrado y pálido. Le acaricié la cabeza con ambas manos y creo que se le llenaron los ojos de lágrimas. Entonces me empujó y fui a la escuela. Cuando regresé a casa no había nadie. Los esperé con mis cuadernos y útiles regados en la mesa del comedor, si llegaban al menos podría fingir que estaba haciendo la tarea. Poco después sonó el timbre de la puerta.

–¿Quién?

–Tu tía, niña, abre ya.

–¿Cuál tía?

–La única que estuvo disponible, anda, abre ya –era la tía Lucrecia, la que nos descubrió esculcando un bolso cuando se desató la pelea en la fiesta. Vivía lejos de donde nosotros vivíamos ahora y nunca antes nos había visitado.

–¿Ya comiste?

–No, pero no tengo hambre, de todos modos siempre me preparo yo de comer.

–No te hice tantas preguntas, niña lista, sólo una, ¿ya comiste?, y dijiste que no, así que a comer –me hizo a un lado con un leve empujón y se dirigió a la cocina–. Creo que todo está preparado y sólo hace falta calentarlo.

Calentó la comida y le agregó algunos condimentos antes de servirla. Por primera vez, los guisos de mi madre me parecieron deliciosos. Mientras comía olvidé el incidente de la bolsa, pero cuando estaba a punto de terminar lo recordé de nuevo y bajé la vista en espera de una reprimenda. Me miró con ojos sonrientes.

–¿Qué pasó, a poco ya te llenaste? Debes comer bien, de lo contrario cómo esperas crecer, ¿eh? A ver, dime si eres de buen diente.

Recordé las fiestas y las comilonas que armaba la familia de mi padre y lamenté no estar cerca de ellos. Tampoco entendía por qué el cambio de domicilio tenía que implicar un aislamiento. Ya no íbamos al barrio, ni a las fiestas. Terminé de comer y ayudé a la tía Lucrecia a recoger y lavar los trastes.

–Es una casa muy linda ésta que tienen.

–Pero yo los extraño a ti, a Verónica, a mis amigos –sentí los ojos aguados y un nudo en la garganta que fue bajando poco a poco hasta instalarse en mi estómago.

—¿Qué te pasa? Aquí están muy bien, ya quisiéramos nosotros tener una casa como ésta. Tu padre hizo un gran esfuerzo y debes aprovecharlo, no tienes nada que hacer en el barrio, así es que no llores, ya verás, cuando tengas nuevos amigos se te pasará.

Nunca se me pasó. Hice nuevos amigos y me relacioné con gente distinta, pero nunca se me pasó. Aún ahora extraño la vida de barrio como la recuerdo, como quiero recordarla.

Terminamos de recoger y de lavar los trastes. Mi tía veía el reloj continuamente y luego el teléfono. Yo fingía mirar la televisión, atenta a sus reacciones, y deduje que algo malo ocurría. Luego me quedé dormida y cuando desperté estábamos en un taxi, mi tía me abrazaba y aunque no se convulsionaba supe que estaba llorando.

Mi papá murió de repente. Mis tías trataban de explicarme los hechos, como si la ausencia del ser querido tuviera alguna lógica.

Bajé del pesero con esos recuerdos en la cabeza y mientras caminaba a casa de mi tía vi pasar en otra acera a una de mis mejores amigas de infancia: Itzel, que llevaba un niño en brazos y otro en carriola. Tenía un vientre prominente y el cabello muy corto, pintado de rojo. Entonces retrocedí dos pasos y regresé a casa. No sabía cómo enfrentar a la gente con la que había crecido y convivido durante años importantes. Mis emociones no encontraban las palabras para expresar mi cariño y me pareció una falta de respeto presentarme ante ellos después de tanto tiempo, sólo porque había olvidado algo y sentía un vacío en el estómago. Después de todo, mi vida era muy cómoda: universidad, trabajo, casa, padres, novio. Con qué cara pediría ayuda, qué clase de ayuda, por qué pensaba que ellos podían ayudarme, dónde residía mi angustia, qué diablos había olvidado.

X

Antes de regresar a casa hice una escala. Necesitaba embrutecerme. Me detuve en la vinatería clandestina donde mi padre solía comprar alcohol. Todavía funcionaba como la recordaba: llamar a la puerta, saludar a Genaro y pedir la botella. Compré el ron favorito de mi padre: Tres Esquinas.

Regresé a casa y me encerré en mi cuarto. Ni siquiera se me ocurrió que podría usar un vaso o rebajarlo con algún refresco. No había modo de cerrar con llave y tampoco puse la silla llena de libros a modo de protección, confiaba en que nadie entraría. Abrí la botella y le di un sorbo, el sabor era horrible y me quemó la garganta. Arrastre la silla del escritorio hacia la ventana y puse una almohada encima. Me acomodé y le di otro sorbo. Poco después llegó Rosendo y luego mi madre. Por más que agucé el oído no escuché nada, ni plática ni discusión ni movimiento de trastes. El silencio era casi absoluto. Después de dos tragos más copiosos que los del principio, el sabor ya no era tan desagradable y la garganta ya no me raspaba. Escuché pasos en la escalera. A oscuras esperé que alguien se asomara para verificar que me encontraba en casa, pero quien quiera que haya subido fue directo al cuarto principal, luego escuché otros pasos. Y después silencio.

Estuve asomada a la ventana toda la noche, era raro ver pasar a alguien. Semanas atrás recordaba haber escuchado entre sueños a una mujer que caminaba sobre el asfalto con tacones que parecían pezuñas, raspando el suelo a cada paso. La imaginé y esperaba que mi imagen coincidiera con la realidad, pero no volví a escuchar los tacones. Luego pensé que sería el recuerdo de Lucila y creí oler su perfume en mi cuarto.

Cada vez le daba tragos más abundantes a la botella y la terminé sin darme cuenta. No me sentía ebria y lamenté no haber comprado otra. El reloj sobre mi buró parpadeaba. Salí de mi habitación en busca de algo más que beber. Abrí la puerta de un golpe sin preocuparme por el rechinido habitual. Mi acción fue silenciosa, la velocidad eliminó el ruido. Caminé a lo largo del pasillo sin despegar la mirada de la puerta del cuarto de Rosendo y mi madre. Antes de lanzarme escaleras abajo me pareció escuchar un sonido tenue, como de una sábana que se mece con el viento. Miré hacia atrás: un par de ojillos en la puerta semi abierta del baño parpadeaba. Bajé casi corriendo y me dirigí a la cocina, en la parte baja de la alacena había varias botellas de diferentes licores. Después de buscar, encontré dos cerradas y escogí la que podía abrirse sin necesidad de un sacacorchos. Me detuve un momento al pie de la escalera y luego subí lentamente. Caminé a través del pasillo con la mirada fija en mi cuarto; si alguien me había visto bajar seguramente me esperarían ahí, pero no había nadie. Me volví a acomodar en la silla frente a la ventana y abrí la botella, era un licor dulzón, de fruta. Le di varios tragos mientras me concentraba en el silencio de la casa y de la calle. Hubiera querido que todo permaneciera así durante mucho tiempo: callado y oscuro. Trataba de recordar lo que se me había olvidado mediante un recuento de los últimos días: Lucila, Ramón, mi abuelo, mi padre, la extraña actitud de Rosendo y mi madre. La oscuridad empezó a desvanecerse poco a poco, todavía tenía la mitad de la botella, pero hacía un rato que no le daba un trago. La dejé a un lado del librero, me quité la ropa y me metí bajo las cobijas.

Me levanto de la cama pero no reconozco el lugar, observo detenidamente el entorno y noto un bulto en la otra orilla de la cama. Me acerco y retiro el pedazo de sábana que cubre el rostro: es mi abuelo pero no parece dormido. Lo sacudo un poco, abre los ojos lentamente y los vuelve a cerrar después de verme sin mirarme, como si hubiera observado el vacío. Recorro la habitación en busca de una puerta que no encuentro. Me asomo detrás de las cortinas y tampoco hay ventanas. El bulto en la cama ya no está. Estoy descalza y el eco de una pérdida irreparable me hace buscar mis zapatos, como si fuera la cosa más importante en el mundo.

El malestar me despertó a medio día. Todo me daba vueltas y la sensación del sudor frío y ansiedad amenazaba con convertirse en realidad en cualquier momento. Salí del cuarto para comer algo y darme un baño y encontré a Bernardo sentado en las escaleras. Rosendo lo dejó entrar desde temprano y le dio permiso de esperar hasta que me levantara para hablar conmigo. Estuve a punto de abrazarlo, pero su mirada fría me detuvo en seco. Permanecí en silencio.

–Qué, ¿no piensas decir nada?

–Tú eres el que está aquí, ¿no? –de inmediato me arrepentí de lo que había dicho, pero ya era demasiado tarde– Perdona, no me siento bien, necesito un baño y comer algo.

–Bebiste, ¿en dónde, qué diablos te está pasando?

–No fui a ningún lado.

–Te la pusiste de buró, eso es todavía peor.

Hice una seña con la mano para que me dejara en paz y entré al baño, me di un baño y salí desnuda. Ya no estaba en las escaleras, pero vi sus pies en la sala, a través del barandal. Me vestí y bajé.

–Necesito comer algo.

–Claro, y una cerveza.

–Efectivamente.

Entramos a la cocina y ninguno dijo nada mientras yo comía. Bernardo me observaba y traté de evitar su mirada, no quería discutir. El malestar de la cruda estaba agazapado en mi interior, pero los síntomas se asomaban de vez en cuando y yo no estaba segura de poder evitarlos. Saqué el six de Rosendo del refrigerador. Me acabé una cerveza mientras comía y cuando terminé agarré otra y fui a la sala. Bernardo salió detrás de mí y se sentó a mi lado.

–Entonces ya no me quieres. No quiero atormentarme pidiéndote detalles: si hace mucho que dejaste de quererme o si hay alguien más. Prefiero no saberlo, pero sí quiero que me digas dos cosas, ¿por qué no hablaste conmigo cuando te diste cuenta de que la relación estaba mal? Y, sobre todo, quiero que me digas en mi cara que no me quieres y que ya no quieres estar conmigo, tal y como lo sientas, y por favor no me salgas con tus mamadas de que quieres ser mi amiga y nada de esas tonterías.

–No hay mucho que decir. Todavía te quiero pero…

–Sí, sí pero ya no como antes, te quiero como amigo –dijo imitando la voz de un ratón de caricatura.

–No, te equivocas, no te quiero como amigo y nunca te voy a querer como amigo, simplemente ya no te quiero tanto como para seguir contigo. Me da flojera salir a los mismos lugares y ya no siento el entusiasmo de antes. Sé que me voy a arrepentir de todo lo que estoy diciendo porque te extraño y me siento sola, pero ya no quiero estar a tu lado. No te voy a decir que es mi culpa, porque no creo que se trate de culpar a nadie, adem…

–Sí, ya, tan elocuente a la hora de mandar a la chingada. Total, siempre haces lo que se te da la gana sin preocuparte por lo que los demás puedan sentir. Ya no me digas nada. No creas que te voy a rogar como otras veces. Eso es lo que tienes, eres una niña mimada que siempre espera que le rueguen, pero ya no.

Lo último lo dijo con un hilo de voz. Dio media vuelta y se alejó hacia la puerta, tuve ganas de pedirle que no se fuera y él mismo lo estaba esperando, pero no lo hice, me quedé mirando cómo se distanciaba. Subí a mi cuarto y me quedé dormida, pero las pesadillas me despertaron por lo menos tres veces en menos de una hora. No logré recordar una sola.

Me levanté con una sed espantosa y bebí todo el six de Rosendo. Decidí intentar dormir un poco más, no quería salir a ningún lado y todavía faltaban varias horas para que mi madre y Rosendo regresaran a casa. Me pareció extraño que el teléfono no sonara, ninguno llamó para regañarme o decirme algo. Tuve un mal presentimiento, de pronto no quería pasar la noche en casa, tanto silencio me abrumaba, algo estaba sucediendo y no sabía qué podía ser.

Pensé en Bernardo, era un compañero inmejorable cuando quería pasar la noche fuera. No sólo encontraba un sitio que no fuera tan sórdido como un simple hotel, además hacía lo posible por entretenerme con algo más que una cogida. Si necesitaba pasar la noche fuera de casa era porque algo me estaba dando vueltas en la cabeza y necesitaba alejarme para hundirme en mis reflexiones, aunque francamente no llegaba a nada. Bernardo me lo había dicho varias veces: huir del problema es todo menos la solución. Al final, sin embargo, siempre hacía lo que le pedía.

Precisamente, ése era uno de los problemas con él, la complacencia. Alguna vez le insinué que ésa no era la mejor forma de tener una relación, pero no sirvió de nada. Se indignó y dijo que todas las mujeres éramos iguales, cuando nos trataban bien queríamos que nos trataran mal y cuando nos trataban mal queríamos que nos trataran bien. No entendió y tampoco dejó que le explicara. Parte del encanto de cualquier relación es la negociación: discutir un poco, exponer argumentos. Es algo así como una competencia en la que ambos ganan, pues no se trata de someter al otro sino de llegar a acuerdos. Bernardo hacía lo que yo quería, como, cuando y donde yo quería. Pocas veces sugería alguna actividad o proponía una preferencia sobre la mía, aunque pudiéramos hacer ambas cosas en diferente tiempo y yo misma estuviera dispuesta a ceder. Para mí fue muy cómodo, mi voluntad se imponía sin ningún problema, pero luego resultó aburrido.

Pensé en llamarlo e hice un listado mental de las ventajas y desventajas. Llevaba más desventajas que ventajas cuando tomé el auricular y marqué el número de su casa. Me precipité, como siempre. Pensé que no estaría y mientras llamaba busqué su número del celular, si no estaba en uno seguramente lo encontraría en el otro. No hizo falta, él mismo contestó. Desde que escuché su voz supe que no era una buena idea.

–Bueno.

–Soy yo.

–¿Qué quieres?

–Lo siento, tienes razón en lo que me has dicho. Estoy muy apenada...

–No me digas que quieres regresar conmigo –la interrupción con tono burlón me desequilibró y permanecí en silencio–. ¿Qué, ya no quieres hablar? ¿Interrumpí el discurso que tenías preparado? Ya sé, me quieres pedir algo. Dime, mi vida, ¿qué quieres, cómo puedo servirte? Sabes que sólo estoy a tu disposición.

No me atreví a decirle que quería su compañía fuera de casa durante la noche. Por primera vez me estaba mandando a la mierda y yo, que no me lo esperaba, no supe qué decir. Ninguna de las posibilidades que me pasaron por la cabeza estaban a la altura de la situación.

–¿Qué pasa, chiquita? Te comieron la lengua los ratones, ¿verdad? Déjame adivinar. Las cosas en tu casa están jodidas. Después de lo raro que te has comportado no es para menos, así que la niña quiere desaparecer una noche o dos o tres. ¿Cuántas? Anda, dime, ya sabes que soy el genio que te concede todo.

La cara me ardía, debía estar colorada de vergüenza. Agradecí que no estuviera presente, mi silencio ya era muestra suficiente de mi turbación, pero me habría sentido todavía peor frente a él.

–Sí –no me quedaba más que ser sincera–. Eso es lo que quería, pero...

–¿Querías? O sea que ya no lo quieres y, ¿qué es lo que quieres ahora?

–Ofrecerte una disculpa, lo siento. Me atreví porque estoy desesperada y porque...

–Y porque estás acostumbrada a que los demás te den paliativos que no resuelven nada.

–También tienes razón.

–No lo puedo creer, ahora resulta que tengo razón. ¿Quién lo hubiera dicho? Hasta hace algunos días me cuestionabas todo y ahora tengo razón en todo. Sólo tengo una pregunta, ¿quieres que sigamos juntos, también para eso llamaste?

–No, no quiero. Sólo quería que me ayudaras a pasar la noche fuera de casa.

–¿Sabes qué es lo peor? Si me hubieras dicho que sí querías regresar conmigo, hubiera sabido que mentías para que te ayudara y, ¿sabes qué?, lo hubiera hecho, incluso lo haría ahora mismo.

–No, gracias.

–Claro, lo sabía, las cosas siempre son como tu dices o no son. Vete a la mierda, contigo no hay modo. Siempre estás pensando en cosas en las que nadie piensa, cuestionando inútilmente y metiéndote en pedos en los que nadie te llama. Y yo ya me cansé, así que vete a la mierda.

Permanecí un momento callada. Necesitaba decirle algo, pero no sabía qué. Trataba de armar un discurso coherente que me diera la oportunidad de despedirme con un poco de dignidad, pero no me dio tiempo. Puedo asegurar que sentí el trayecto de la bocina hacia el aparato para colgarme. No apretó el botón, eso era demasiado fácil. Dejó caer el auricular sobre el aparato y listo. Me quedé fría, no esperaba esa reacción. Mi rostro ardía y me temblaban las manos. Me alejé del teléfono y lo miré espantada. Esperé varios minutos sin quitarle la vista de encima, pensé que en cualquier momento volvería a sonar y vendría la reconciliación, pero no sucedió. Por primera vez llamé a Bernardo con la mente, le supliqué que llamara de nuevo. Luego lo insulté y tiré al suelo cuanto objeto encontré. Rompí ceniceros, muñecos de porcelana, lámparas, esferas de cristal, muñecos de barro, jarrones, floreros; adornos ridículos. No pensé en lo que diría mi madre cuando viera el estropicio, no éramos iguales. Ella era muy cuidadosa, armaba sus dramas al menos una vez por semana, amenazaba con suicidarse, aventaba cosas al suelo que no podían dañarse demasiado, no rompía nada, ni se hacía un daño importante; sólo se rasguñaba un poco, se arrancaba algunos pelos de la cabeza y desgarraba alguna prenda que no fuera muy costosa. Nunca la vi romper un vestido fino, ni jalar un collar de piedras auténticas. Lo que destruía tenía poco valor, lo que rompía y hacía trizas podía reemplazarse; y nunca, en todos sus intentos de suicidio, hubo necesidad de llevarla al hospital.

Me encerré en mi cuarto. No tenía coartada preparada y tampoco me importaba que me cobraran lo que había roto, como en otras ocasiones cuando rompía un vaso o un plato por accidente. Me costaba trabajo respirar, estaba avergonzada conmigo misma y ni siquiera ese sentimiento lograba disipar la sensación de olvido. Entonces pensé en recurrir a alguien más para pasar la noche fuera: Isaac.

XI

–¿A qué debo el honor?

–Necesito dormir en otro lado, ¿tienes algún refugio para esta noche?

Isaac vivía en un departamento grande y rentaba dos habitaciones que le sobraban, pero cuando tenía alguna disponible la prestaba sin problema a sus conocidos.

–Pues no, nena, no es posible hoy. Mira, mañana tenemos la fiesta temática y estamos preparando todo.

–Mmm, bueno, gracias de todos modos.

–Ven a la fiesta, se va a poner buenísima.

–¿Yo? Pero es temática y ni disfraz tengo.

–No te preocupes, creo que tengo el disfraz perfecto –lo pensé un poco, ni siquiera sabía cómo iba a pasar esa noche y si al otro día estaría de humor para una fiesta de Isaac.

–Ándale, ven. ¿O de plano tu pedo es tan grande? Podría ver que te quedes en algún lugar…

–No déjalo, no es tan grave. ¿A qué hora llego?

–Desde medio día para que nos eches la mano con la decoración, los vestuarios y para que te de tiempo de disfrazarte.

–¿Llevo algo?

–Ay, noooo. Ya sabes que habrá de t-o-d-o. Te espero, no llegues tarde.

En cuanto colgamos me arrepentí de haber aceptado. Le estaba dando vueltas a lo que había olvidado, cada vez me costaba más trabajo comportarme con coherencia y por si fuera poco Bernardo tenía razón, evitaba tomar el toro por los cuernos. Desde que fui a buscar a Ramón y a Lucila la confusión había aumentado tanto que yo misma no hacía nada por disiparla.

Entré a mi cuarto, cerré la puerta y apilé varios libros contra ella para dificultar que la abrieran, sin pretender impedirlo realmente; sólo quería descubrir, con el ruido de los libros al caer, si alguien entraba o se asomaba mientras dormía. Me acosté sobre el edredón. Quería olvidar situaciones que se obstinaban en estar presentes: el baile con Lucila, la ausencia de mi abuelo y el rompimiento con Bernardo; en cambio lo que quería recordar permanecía oculto y su ausencia me resultaba estridente. Hubiera querido dormir, pero el sueño no acudía.

Un poco más tarde Bernardo entra en mi habitación, pero me hago la dormida. Se acerca a la cama, se inclina a la altura de mi rostro, abro los ojos y me besa. Seguramente quiere reconciliarse. Mete sus manos heladas bajo las sábanas. Trato de zafarme pero no puedo, las sábanas y Bernardo me inmovilizan. No me atrevo a gritar por miedo a despertar a mi familia. Sus manos se mueven hábilmente y lo que en un principio fue un forcejeo se convierte en deseo. Entonces me muerde el labio y siento el sabor metálico de la sangre. Se aparta un momento y veo que es Rosendo.

Todo estaba oscuro, creí que alguien se dirigía a la puerta de mi habitación abierta, pero la oscuridad no me dejó comprobarlo. Me toqué los labios, que no parecían heridos, y traté de permanecer atenta por si lograba ver o escuchar algo. Me levanté a cerrar y me tropecé con los libros que había dejado en la entrada. La puerta estaba cerrada. Quité los libros, abrí y me asomé al pasillo. Todo estaba oscuro y en silencio. Seguramente ya era muy tarde. No pude dormir el resto de la noche, cada que cerraba los ojos sentía que alguien estaba al pie de la cama. Tenía miedo de haber sentido deseo por Rosendo, aunque al principio creí que era Bernardo.

Estuve dando vueltas en la cama sin poder conciliar el sueño. No entendía por qué nadie había venido a reclamarme los destrozos en la sala. El reloj parpadeaba, pero de todos modos lo miraba a cada rato. Varias veces escuché ruidos, y como no estaba segura de que se generaran en el pasillo o en mi cabeza, traté de ignorarlos.

Poco antes de que mi madre y Rosendo se levantaran me di un baño. Cuando aparté la cortina para salir de la regadera mi madre estaba sentada en la taza con el camisón arremangado hasta la cintura y los calzones en los tobillos. Me ofreció la toalla que yo había dejado sobre la tapa del retrete. Se la arrebaté e instintivamente me tape el cuerpo.

–Nunca cierras la puerta cuando te bañas, quieres que tu padrastro te vea, ¿verdad?

–Ninguna puerta de la casa se puede cerrar con llave por disposición tuya –no pensaba quedarme callada, la tranquilidad que me había dado el baño con agua caliente se disipó lentamente como el vapor que se esfumaba.

–Ni siquiera eres capaz de avisar que no entren porque te estás bañando.

–No tocaste la puerta y la regadera se escucha en toda la casa a esta hora, no es necesario avisar.

Intenté ignorar su presencia y me unté crema en la cara, brazos y piernas procurando no dejar caer la toalla que me había envuelto en el torso. El aspecto de mi madre era amenazadoramente tranquilo. Sentada en el retrete con los codos sobre las rodillas y el mentón en las manos entrelazadas, no me quitaba la vista de encima, como si quisiera sorprenderme en un acto indebido.

Tenía miedo. No era la primera vez que entraba mientras me bañaba, pero siempre decía lo que tenía que decir y se largaba. Esperé en vano la sentencia por los objetos rotos. Tuve el impulso de fugarme pero al último momento decidí no hacerlo. Me paré frente al lavabo dándole la espalda mientras vigilaba sus movimientos a través del espejo. Me cepillé el cabello muchas más veces de lo que solía, todo el tiempo tratando de sujetar la toalla alrededor de mi cuerpo.

–Te arreglas demasiado, ¿acaso pretendes agradarle a alguien?

Mantuve la atención en las cerdas que se deslizaban a través de mi cabello. Apreté el mango del cepillo pensando que tendría que usarlo en cualquier momento, era consciente de mi ventaja, ella tenía los calzones en los tobillos. Mi estancia en el baño se estaba prolongando demasiado y la aparente calma de mi madre ya me había asustado bastante. Dejé el cepillo y me dirigí a la salida. Mi madre no se levantó del retrete, ni dijo nada, simplemente no me quitó la mirada de encima. Sabía que yo tenía miedo, me temblaban las manos y transpiraba. Cerré la puerta de mi cuarto y escuché algo así como un gemido o una risa.

Definitivamente estaba sucediendo algo incomprensible. Preferí permanecer lo menos posible en casa. Mi madre no solía ser tan tranquila y menos después del estropicio que había hecho en la sala y al cual no hizo referencia alguna, como si no hubiera sucedido. De pronto los regaños se habían detenido y hacía un par de noches que no escuchaba discusiones por mí o por cualquier otra cosa. El silencio era desesperante. Tenía varios días sin ver a la cara a Rosendo y eso me incomodaba todavía más. Lo extrañaba, sus miradas elocuentes me ayudaban a pasar los días al lado de mi madre. Quería hablar con él y necesitaba que me abrazara. No sabía cómo acercarme sin que ella pensara que lo estaba seduciendo y Rosendo, que generalmente me buscaba, no había dado indicios de interesarse por mí.

Escuché el mismo sonido de todas las mañanas: el motor encendido, los taconazos de mi madre en el pasillo, la puerta que se cierra, luego los taconazos en el asfalto y la puerta del auto, finalmente el motor que se aleja.

Ya vestida, metí en una maleta una muda completa de ropa: pantalón, playera y tenis. Iba al reventón de mi amigo y tenía que estar preparada, sus fiestas solían ser un caos; en la última perdí los zapatos y tuve que regresar descalza.

Bajé las escaleras y observé a mi alrededor. Alguien había recogido los restos de mi destrucción. Sobre los muebles no había ningún adorno. ¿Quién había limpiado y por qué no me habían dicho nada? Mis actos no provocaban consecuencias y dudaba que hubieran sucedido.

En el camino hice lo posible por despejar mi cabeza, debía estar contenta por ver a mi amigo, hacía casi medio año que no nos encontrábamos. Lo conocí cuando yo tenía trece años y él veintiuno. Rosendo me inscribió en un curso de artes plásticas de verano, en el cual Isaac era el profesor de máscaras y de inmediato nos hicimos amigos. La diferencia de edad no impidió que simpatizáramos al instante y, aunque nos frecuentábamos poco, retomábamos nuestras charlas como si nos hubiéramos visto un día antes.

Toqué el timbre varias veces pero nadie salía, estaba a punto de marcharme cuando Isaac abrió la puerta. Dentro no había nadie, estaba molesto porque lo habían dejado plantado con los preparativos. Estuvo casi media hora parloteando, yendo de un lugar a otro, amenazando y maldiciendo.

–Ya, bájale. Mejor dime en qué te ayudo y tratamos de hacer lo que haga falta, ¿sí?

–No, dijeron que llegarían temprano y tienen que hacerlo, ¿qué se han creído?

–Ya bájale, o mejor me voy, siempre es la misma contigo, no hay modo de hacer algo sin drama, te pareces a…

–No, cállate, comparaciones no, chulita, nada de comparaciones con tu madre.

–Precisamente.

–Que no, silencio. Órale, a trabajar.

No había mucho que hacer pero mi amigo se histerizaba, incapaz de organizarse si no tenía a quien mangonear y regañar. Estábamos por terminar de decorar cuando llegaron dos de sus amigos medio disfrazados, que se encargaron de adornar lo que faltaba y dispusieron una mesa con tragos y botanas.

Entonces Isaac y yo nos encerramos en su cuarto, y mientras le ayudaba a vestirse me di cuenta de que estrenaba tetas, no se las había visto antes.

–¿Y eso?

–No me digas que no lo sabías.

–Pues no.

–Hace cuánto que no nos vemos, toda una eternidad, si ya estoy muuuyyy bien. Cuando recién me las pusieron estuve adolorida como tres meses y de pronto me pululaba un líquido apestoso y maloliente, claro que era normal…

–Agh, no me cuentes esas cosas, ¿sabías que eso podía pasarte?

–No, chulis, si uno se pone a averiguar todo lo que puede suceder, pues entonces no se hace uno nada. Por ejemplo ¿tú sabes el daño que hace la carne de cerdo?, si lo supieras no querrías probar un taco de carnitas en toda tu vida…

–Ya, mejor cuéntame, ¿cómo te sientes?

–Cachondeable, deseable y muy, muy fogosa.

–Pues sí, no sé para qué pregunto si ya sé la respuesta. ¿Me dejas tocar?

–Claro, chulis, para eso están, pero tampoco te agasajes que no son para ti, ¿eh?

No sabía cómo tocarlas y aproximé ambas manos, empecé por los pezones y luego apreté toda la teta. No se sentían como las mías o como las de cualquier otra mujer, supongo. Las mías son suaves y tienen un volumen regular pero maleable, las de él, en cambio, estaban demasiado duras y con una circunferencia perfecta. Parecían dos entes muertos que pendían de su cuerpo. Tenían forma y tamaño envidiable pero sin vida. Las froté durante algunos segundos. Los pezones se levantaron y mi amigo entrecerró los ojos. Me pregunté si en verdad estaba sintiendo algo o si su excitación se generaba del hecho de excitar al otro, o sea a mí.

–¿A poco sí sientes?

–Sí, ¿a poco tú no?

–La verdad no, se siente horrible, están chidísimas pero no siento nada.

–Mentirosa, envidiosa, perra.

–Uy, nomás esto me faltaba.

–Mejor apúrate, que tienes el don de recordarme que soy hombre.

–No, si hombre como tal nunca has sido, además ya tienes daños irreversibles.

Estuvimos discutiendo mientras le ayudaba a ponerse el corsé que le levantaba todavía más las tetas y le ajustaba una cintura que no tenía. Su espalda se veía imponente, pero confieso que envidié el corsé de encaje rosa.

Se puso una tanga de hilo dental negra y encima una falda larga con holanes, que sólo cubría la parte delantera. Usaba medias de red que le llegaban a medio muslo.

Una vez vestido, dispuso varias líneas de coca sobre una mesita al pie de la cama. Pretextó que estaba nervioso y cansado. Siempre que sacaba droga se justificaba como si yo le pidiera cuentas de lo que hacía. Supongo que pensaba que me estaba pervirtiendo y trataba de minimizar los hechos. No había necesidad, además yo también la consumía. Un compañero del instituto que surtía a los investigadores me regalaba un papelito de vez en cuando y, a veces, la aspirábamos juntos. Nunca me cobraba ni yo se la pedía porque no me hubiera alcanzado para comprarla regularmente. Isaac pensaba que me drogaba sólo con él, y yo nunca le contaba del instituto, le dejaba creer que sólo él podía ser el pervertidor.

Lo ayudé a maquillarse, mi única labor consistía en pasarle los cosméticos, ni siquiera dejó que le pintara los ojos. Le ceñí la peluca sobre el cráneo untado de una sustancia pegajosa que parecía adhesivo. Nos tardamos un siglo en terminar, pensé que yo ya no usaría disfraz y que podría andar por la fiesta con mi ropa, pero me equivoqué. Cuando estaba revisando los detalles de su vestuario en el espejo me dijo:

–Apúrate, chulis, que no estás aquí nomás de oquis. Ahí está tu disfraz. Ándale, te ayudo.

Sobre una silla, a un costado de la cama, había un disfraz del cuál no me percaté antes. Raro, era tan visible que parecía una persona sentada por la disposición de la ropa. Me emocionó lo que vi, aunque no estaba muy segura de lo que era.

XII

Me puse los pantalones: cortos y bombachos, un poco grandes para mi talla pero Isaac era un experto en hacer que la ropa se ajustara. La camisa blanca con holanes en los puños, cuello y solapas, era muy pequeña y el último botón estaba a la altura suficiente para no permitir que las tetas salieran de su sitio.

–No, no, no, no, no; si no sabes, por favor pregunta. Antes del pantalón van las medias. ¿De qué número calzas? Creo que no te van a quedar las botas. A ver, primero ponte las medias y ajústate bien el pantalón, la camisa va por dentro, no vayas a empezar con tus guarradas.

Abotoné la blusa y traté de alinear los holanes y los pliegues a mi cuerpo, de cualquier modo

Isaac tendría que intervenir porque en eso del vestir era muy quisquilloso y siempre encontraba algo fuera de lugar. Luego me puse las medias de red que me llegaban a medio muslo y al final el pantalón, ajusté un par de cintas a la cintura, parecía un pareo para ir a la playa. Isaac hurgaba en un armario, pateaba zapatos y botas sin agacharse. Entonces me pidió ayuda:

–A ver, chaparra, yo ya no puedo moverme mucho. Saca todas las botas que encuentres –el armario era más grande de lo que parecía, pero no había un foco interno que permitiera ver claramente, así que me tuve que conformar con el tacto. Saqué doce pares de botas altas y cinco que llegaban a media pantorrilla. Ninguna me quedó; o eran demasiado grandes para mi pie, o mi pantorrilla era demasiado grande para las botas.

–Uy, no sabía que fueras tan difícil. A ver, ahora busca zapatos con hebilla y tacón, de ésos que se usaban en la Edad Media.

Su descripción no fue muy clara, pero con base en mi disfraz busqué los zapatos que pudieran ser adecuados. Afortunadamente me quedaron unos de charol con hebilla plateada y tacón alto.

Me los puse y caminé un poco para que Isaac diera su aprobación.

Me sorprendió la cantidad de ropa y zapatos que había acumulado durante el tiempo que se dedicó a la farándula en antros de mala muerte.

–Muy bien, creo que es lo más decente que hay. Ahora faltan los toques finales. Ven.

Con aguja e hilo ajustó el pantalón y la camisa. Luego me jaló al taburete enfrente del tocador.

–Recógete el cabello, hazte un chongo y asegúrate de que no quede ningún pelo de fuera.

Obedecí, me hice una cola de caballo y la enrollé en la nuca. La sujeté con una red y me cercioré de que no hubiera ningún pelo fuera. Usé varios pasadores y cuando estuve lista llamé a Isaac, que se paseaba de un lugar a otro de la habitación, pintándose y despintándose un lunar al lado de la boca que no lo satisfacía del todo y aspirando las líneas de coca que ya casi se terminaban.

–A ver: no, no, no, te falta un poco de gel.

–No me gusta.

–Uy, qué delicada –me jaló del mentón y me restregó la cara con un pañuelo húmedo.

–Qué cara tan puerca, mira –me enseñó el papel que efectivamente estaba negro. Lo tiró y me volvió a limpiar con un pañuelo nuevo. Me untó crema y luego me espolvoreó un maquillaje blancuzco y luminoso.

Veía las modificaciones de mi rostro de reojo porque no me dejaba voltear hacia el espejo. Me pintó las pestañas, los párpados, las mejillas, un lunar en el pómulo izquierdo y más polvo en los labios. Luego me enfundó una peluca de cabello largo, negro y rizado. Estaba a punto de mirarme en el espejo cuando me puso un sombrero de copa encima. No me reconocía, me gustó lo que reflejaba el espejo. Mi imagen era andrógina, ni hombre ni mujer. Me levantó de un jalón.

–A ver, quítate, ahora me toca a mí. Siempre me pasa lo mismo cuando maquillo a alguien más, me quedan maravillosos, pero yo quedo hecha un desastre.

Por un lado, no se permitía maquillar mal a alguien y, por el otro, se indignaba si no lograba ser la más espectacular. Mientras maldecía y perfeccionaba su rostro frente al tocador, miré mi imagen en el espejo de las puertas del clóset. Estaba irreconocible. Era evidente que estaba disfrazada, pero me pareció que podría salir a la calle con esa ropa y no sentirme incómoda por las miradas de los demás, no me reconocerían.

–Listo, ya quedé, ¿cómo me veo?

–Muy bien, ya quedaste, no entiendo por qué tanta obsesión.

–No sé para qué te pregunto. Eres una fodonga.

Hacía rato que se escuchaban voces y movimiento fuera de la habitación. Los invitados estaban llegando. Inhalé las líneas que quedaban y me sentí con ánimos de salir.

–Muy bien, ahora escucha. Tú vas a ser la presentadora del concurso. La temática de la fiesta no te la tengo que decir, creo. Los invitados anotan su nombre artístico y tú los vas a presentar por orden de aparición, o sea, como estén en la lista. Luego recoges los votos y los cuentas. Nada de trampas

–¿Y cuál va a ser el premio, sólo habrá un ganador o varios?

–No, no, no, el ganador sólo es uno, si no, luego entran los conflictos. El premio es el reconocimiento, ¿qué más?

–¿Ya podemos salir? –estaba ansiosa por unirme a los invitados, tenía una curiosidad morbosa por ver los disfraces y quería hacer mis especulaciones sobre el posible ganador.

–Sí, sal, ya estás lista– dijo mientras se volvía a sentar frente al tocador.

–¿No vienes?

–No, todavía faltan un par de detalles.

Mentira, con toda seguridad quería hacer una entrada espectacular cuando estuvieran todos los invitados.

Era parte de su personalidad: llegar tarde para llamar la atención y mantenerla el mayor tiempo posible. A mí no me molestaba, y hasta me parecía divertido, pero para algunos podía resultar insoportable y, creo que eso era lo que buscaba: la provocación. Precisamente en una fiesta dos años atrás lo golpearon. Entonces lo llamé para saber cómo estaba pero nunca contestó, luego fui a visitarlo y me dijo desde la ventana que no quería ver a nadie. A los dos meses me llamó. Estaba de excelente humor, casi no se le notaban las heridas en la cara, estrenaba zapatos y me hizo saber de todos los modos posibles que le iba de maravilla. Evitó platicar de lo sucedido. Intuí que no se encontraba bien pero no quise presionarlo. Fuimos a tomar un café y sólo fue cuestión de tiempo para que pasara de la euforia al llanto. A duras penas entendí lo que decía entre sollozos, aspirando los mocos. La golpiza había sido lo de menos, le habían lastimado la cara y tenía varios moretones en la espalda, todavía le dolía el estómago y la caja torácica, por fortuna no le habían roto nada. La desgracia radicaba en que después se peleó con su pareja. Se hicieron de golpes y luego se dejaron. Tuve cuidado de no tomar partido, pero le dije que ambos tenían responsabilidad y que en todo caso lo mejor era hablar y tratar de arreglar las cosas y, si no había posibilidad de regresar, al menos separarse sin rencores. Nos despedimos con un fuerte abrazo y dejé de verlo otra larga temporada. No supe qué hizo, ni volví a saber de su ex pareja. Hay experiencias demasiado dolorosas como para platicarlas, incluso a los amigos cercanos.

Cuando salí había diez personas que platicaban animadamente, pese a sus movimientos acartonados. Trataban de no arruinar ningún detalle de sus atuendos; las risas eran a medias y los gestos moderados para no estropear el maquillaje. No conocía a nadie y aunque así hubiera sido, no los reconocería. Tanto afán por querer ser originales y al final todos parecían usar el mismo disfraz. Largos vestidos de crinolina, corsés entallados, senos de fuera.

Me serví un trago y me acerqué a los grupos para darles las buenas noches, casi ni me contestaban. Ingenuamente pensé que podría pasar desapercibida, pero al darse cuenta de que era mujer me ignoraban. Pocos respondieron a mi saludo.

Isaac se demoraba mucho. Ya había más de veinte personas, agrupadas en pequeños núcleos que platicaban con un vaso en la mano, del cual bebían poco o nada. Me pareció que ya estaban todos los invitados, la cantidad concordaba con el número de participantes esperados. Yo ya me estaba emborrachando, al principio me divertí observando los disfraces, pero eran tan similares que pronto me aburrieron. Unos se me hacían más grotescos que otros, sólo tres o cuatro parecían de cortesanas, o al menos se aproximaban a la imagen que yo tenía de ellas.

Casi una hora después salió Isaac. Todos se acercaron a saludar al anfitrión.

–¿A qué hora empezamos? –preguntaron varias voces a la vez.

–En una hora, a media noche.

Algunos se relajaron y otros sacaron espejos y maquillaje de sus bolsos, otros entraron al baño y pidieron permiso para usar la habitación. Yo misma me sentía excitada como si fuera el certamen de Miss Universo.

Mi amigo me dio una bolsa con papelitos y varias plumas.

–Repártelas, asegúrate de que a nadie le falte nada antes de que comencemos. Aquí está la lista de los concursantes, fíjate bien en los nombres, no te vayas a equivocar cuando los leas porque se enojan –eso ya lo sabía, de hecho él era el que se enojaba de más cuando alguien pronunciaba mal su nombre.

–Está bien, no te preocupes –me miró severamente y acercó su cara a la mía.

–A ver, sóplame –obedecí–. ¡Uf! Qué peste, ya deja de beber, no vas a poder ni hablar.

No me sentía tan borracha, ya había perdido la cuenta de los tragos, pero no me percaté de que ya estaba mareada hasta que mi amigo me lo dijo, como si lo hubiera invocado. Dejé el vaso en la mesa y estudié los nombres de la lista. Cuando levanté la vista los participantes del concurso se me hicieron más grotescos que al principio. Parloteaban nerviosos y se movían lo menos posible. Había visto a varios meterse pastillas y tuve la certeza de que en cuanto terminara el concurso el ambiente se pondría muy pesado. Empecé a sentirme culpable de nuevo, no tenía ninguna necesidad de estar en una fiesta de esa naturaleza. Las cosas en mi casa estaban raras, pero nadie me había molestado verdaderamente, además era yo la que huía de mis propios fantasmas, que de todas formas me perseguían. Estudié mi disfraz porque pensé de que había olvidado ponerme algo, luego caí en la cuenta que hacía mucho tiempo que había olvidado algo y seguía sin encontrarlo.

–Muy bien, ¿estamos todos, ya no hay nadie en el baño? Comenzamos, éste es nuestro presentador –todos me miraron expectantes.

Había un espacio amplio en medio de la sala. Di varios pasos hacia atrás hasta quedar casi pegada a la pared, desde ahí anuncié a cada uno de los participantes.

Dije sus nombres con calificativos como "la gran", "la única", "la maravillosa", "la inigualable". Ellos se encargaban del resto, pasaban al frente, hacían poses, ademanes y algunos se alzaban las enaguas para mostrar parte importante del disfraz: sus ligueros y tatuajes. Otras sólo tenían que girar para mostrar la parte posterior del vestido que, o no existía o era tan transparente que dejaba ver sus traseros.

Mientras unos desfilaban los otros aplaudían, gritaban piropos y chiflaban. Poco a poco sus rostros se distorsionaron, me parecieron hienas al acecho de un cadáver putrefacto.

Cuando terminó el desfile, esperé quince minutos y luego recogí los papelitos que depositaron en una cajita. Me encerré en el cuarto a contar los votos. Primero verifiqué que el número de papelitos coincidiera con el de los participantes en la lista. La mayoría estaban escritos con letra legible y algunos hasta hermosa, pero me costó mucho trabajo descifrar cinco de ellos, no podía distinguir una letra de otra, como a los concursantes. Estos se impacientaron y cuando estaba por terminar alguien vino a tocar la puerta: Apúrate, que nos morimos de los nervios. Una vez que entendí los nombres escritos, conté de nuevo. No había duda, una tal "Virgen nocturna" había ganado con nueve votos. No recordaba quién era: los disfraces, como los nombres, eran muy parecidos, y me decepcionó la falta de imaginación.

En cuanto salí se hizo el silencio, me acerqué al centro de la sala, abrí la boca y justo antes de que empezara a hablar, Isaac me quitó la palabra.

–Les agradezco mucho su participación, estoy muy emocionada y espero que gane la mejor, las quiero –me cedió la palabra con un gesto. Al principio de la tarde, cuando supe que sería la presentadora, había imaginado un discurso para hacer más emocionante el evento, pero estaba tan decepcionada y borracha que sólo dije:

–La ganadora con nueve votos es: "La virgen nocturna" –el susodicho se plantó en medio de la sala.

Con lágrimas en los ojos agradeció a una multitud inexistente. Lanzaba besos cual Miss Universo y estuvo a punto de desmayarse. Aunque todos los disfraces se parecían, había algunos mejores que otros y el que ganó no me parecía particularmente bueno, incluso era uno de los más grotescos. No me quedó claro el criterio de los votantes. La tensión disminuyó y aunque algunos no estaban satisfechos con el resultado no hubo protestas.

Alguien subió el volumen del aparato de sonido. Varios se pusieron a bailar al ritmo de música electrónica. Tuve el presentimiento de que en poco tiempo buscarían un modo más efectivo de liberar por completo la tensión acumulada. El alcohol y las pastas circulaban por todos lados. Mi papel había sido corto y ridículo. La sensación de olvido regresó con más intensidad. Rodeada de gente, me sentía sola. Hubo quien intentó platicar un poco o bailar conmigo, pero yo ya no estaba de humor para nada. Me vino una nostalgia dolorosa, de ésas que hacen daño.

Entré a la habitación de Isaac y me miré al espejo. Era yo después de todo, mi aspecto no era ni andrógino ni gay ni nada, simplemente era yo. Me quité el disfraz y me puse mi ropa. Limpié el maquillaje que ya me pesaba en la cara. Salí del departamento sin que nadie se percatara. No me despedí de mi amigo. Lo perdí de vista después de que anuncié al ganador y no me pareció prudente averiguar dónde se encontraba.

Caminé un par de calles hacia un sitio de taxis que ya conocía y me fui a casa. No logré mi objetivo de pasar la noche fuera, de todos modos no tenía ningún caso, la sensación de olvido me perseguía a todas partes.

XIII

No recordaba que era viernes, ya la madrugada del sábado, el peor día para llegar tarde a casa. Mi madre solía irse de parranda el último viernes de cada mes cuando mi padre estaba con nosotros. Luego Rosendo llegó a casa y las parrandas cesaron, pero meses después ella reanudó su vieja práctica. Supuse que habría un acuerdo entre ambos para que las salidas fueran una cosa normal y tolerada.

No quería encontrarla despierta. Lo mejor que podía pasarme era que mi madre aún no hubiera llegado, entonces tendría oportunidad de entrar lo más rápido posible y hacerme la dormida. Si la encontraba despierta seguramente estaría bebiendo en la sala, mirando la televisión apagada y platicando con invitados inexistentes. En esos casos lo más conveniente era no estar cerca.

Cuando bajé del taxi, la casa estaba a oscuras y no se escuchaba ningún ruido. Abrí y cerré la puerta con el mayor sigilo posible. Mientras me acostumbraba a la oscuridad me pareció ver a mi madre en un rincón de la sala. Traté de ignorar esa presencia y me dirigí a tientas hacia las escaleras. Antes de subir, cuando mis ojos ya estaban habituados a la penumbra, miré de nuevo hacia la sala. El sillón donde creí ver a mi madre estaba vacío.

Me quité los zapatos y subí a gatas las escaleras, pensé que si distribuía mi peso la madera rechinaría menos. Escuchaba los latidos de mi corazón como si estuviera fuera de mi cuerpo.

Entré a mi cuarto y cerré la puerta. Pegué la oreja a la madera y no logré escuchar nada. Me quité la ropa con la luz apagada. Era ridículo, la situación en casa era rara y el ambiente tenso, pero hacía días que mi madre permanecía en silencio, así que no tenía por qué estar tan aterrorizada.

Respiré aliviada y encendí la luz. Entonces vi a mi madre en la cama. De entre las cobijas sobresalía su rostro, su cabello desordenado y su cuello. Tenía los ojos muy abiertos y me miraba intrigada como si yo no estuviera ahí.

–Me espantaste, ¿qué haces en mi cama? –dije con voz temblorosa, tratando de disimular mi turbación–. Vete a tu cuarto, si no quieres dormir con Rosendo córrelo a la sala, como siempre, yo no pienso dormir en el sofá –prefería estar en mi cuarto, más segura en un espacio estrecho entre cuatro paredes, aunque la puerta no tuviera cerrojo.

No respondía ni parecía escucharme. Sentí miedo de lo que podría traer en la cabeza. Tuve el impulso de destaparla y sacarla a jalones, pero percibí el olor del alcohol y pensé que lo mejor sería irme a la sala. Alguna vez estuvimos a punto de agarrarnos a golpes y no quería que se repitiera. Durante días insinuó que me había acostado con toda la familia de Bernardo después de una semana que pasé con ellos en el campo. La ignoré pero insistió tanto que un día me exasperó. La encontré en la sala con mis calzones extendidos sobre los sillones.

–Ven, cada uno huele a los diferentes hombres con los que estuviste dizque en el campo.

Había bebido, tenía los rasgos distorsionados, el maquillaje chorreado y arrastraba las palabras al hablar. Intenté recoger mi ropa interior. Me dio un empujón y con lágrimas en los ojos dijo que yo era igual que mi padre, una puerca malagradecida, egoísta y buena para nada. Intenté subir a mi cuarto. Rosendo miraba desde el barandal sin atreverse a bajar.

Mi madre me tomó del brazo con fuerza y me acercó la botella de tequila.

–Bebe y verás cómo todo se soluciona, nunca bebes con tu madre.

Tiré la botella de un manotazo, se hizo pedazos. Mi madre la miró incrédula, se carcajeó y dijo con tono infantil y burlón:

–Tengo otra, tengo otra –intenté escapar pero me detuvo de un jalón al cabello.

Entonces giré, fuera de mí, y levanté la mano, estaba a punto de golpearla, pero me arrepentí de inmediato.

–Anda, pégame, es lo único que te falta. Pégame: mi propia hija, mi propia hija –gritaba y me empujaba con su cuerpo, sin meter las manos.

Rosendo ya había bajado y la abrazó por la espalda, me miró entre triste y angustiado. Subí a mi cuarto y me desplomé en el piso a llorar. Al otro día mi madre estaba como si nada, parecía no acordarse de lo ocurrido. Rosendo se veía preocupado pero tampoco dijo nada. Odiaba el silencio que se cernía sobre la casa después de una tormenta: que cada quien se lama sus heridas.

Saqué una pijama del clóset y me la puse.

–¿Por qué, si nunca usas pijama, ahora te la pones? ¿Te da vergüenza que tu madre te vea desnuda?

–No, pero tengo frío.

–Mentirosa, ¿a quién le facilitas el trabajo por la noche?

Traté de que no se notara mi indignación. Un par de veces metí a Bernardo de contrabando mientras ellos andaban de fiesta, cogimos como desesperados, el factor miedo aumentó la excitación. Sólo lo hicimos un par de veces y no lo repetimos más porque mi madre extremó precauciones; parecía saber lo que habíamos hecho, durante algunos días nos miró de forma distinta y contó, como no queriendo, chismes de sexo clandestino y terribles consecuencias.

Rosendo no parecía darse cuenta de nada, bueno, él es así, siempre parece que no se da cuenta de nada.

De niña mi madre dormía conmigo varias noches a la semana después de pelear con mi papá. No recuerdo por qué discutían tanto y no importaba, de todos modos yo le daba la razón a cualquiera que no fuera ella. A veces amanecían los dos en mi cuarto. Mi madre acostada a mi lado y mi padre casi siempre en el piso, al lado de la cama con una almohada y una cobija. Papá intentaba hacerme creer que se trataba de un juego, pero el clima de tensión y el tono que usaban para hablarse podría significar todo menos un juego.

Ahora, después de tantos años, tenía a mi madre de nuevo metida en la cama. No podía dormir, estaba muerta de miedo, pero sobre todo de asco: tuve que reconocer la repulsión que me causaba sentirla acostada junto a mí. No la quería en mi cama, pero largarme a la sala sería una ofensa y desataría un drama que no estaba dispuesta a soportar; así que me acosté lo más alejada posible de ella, dándole la espalda.

La escuché sollozar y apreté los ojos. Sus lamentos se hicieron más intensos y su cuerpo empezó a convulsionarse, no tenía caso hacerme la dormida.

–¿Qué te pasa?

–Nada.

–Cómo nada, ¿ahora qué?, ya duérmete.

–Ves, eso, eso es lo que me pasa, Cómo me tratan tú y Rosendo.

–...

–Los silencios agresivos, la falta de cariño, la falta de respeto.

–Ma, ya, por favor, no es momento de hablar de esto, de verdad. Vamos a dormir.

–A dormir, sí, yo necesito dormir pero para siempre; total, a nadie le importo, nadie me quiere.

No sabía qué decirle y sólo pensaba en cambiar las sábanas que ella manchaba con lágrimas de cocodrilo y sudor etílico.

–Lo mejor es que me vaya, sí, así los dejo en paz a ti y a tu padrastro.

–¿A dónde te vas a ir, Ma? No seas ridícula, ya duérmete.

Seguía dándole la espalda. Me había prometido no hacerle caso cuando se hiciera la víctima, pero nunca lo conseguía, siempre trataba de calmarla como si en verdad tuviera la posibilidad de lograrlo.

–Nadie me quiere, yo sólo... he ... quiero... lo mejor para los que quiero, pero, pero, tú eres un monstruo.

Mientras hablaba me acariciaba la espalda, con ambas manos, como si me diera un masaje. Sentí sus palmas pegajosas y sudorosas a través de mi pijama. Entonces reaccioné. No quería que me tocara y mucho menos que me hablara en ese tono suplicante y lastimoso.

Me levanté de un salto. Salí de la habitación y azoté la puerta.

–¿Por qué te vas, estás huyendo de mí? Vas a dormir con tu padrastro, ¿verdad? A mí no me engañas. Crié una puta que me quiere quitar al marido. ¡Puta, puta!

Mientras ella gritaba me dirigí a la cocina y saqué un vaso para tomar un poco de agua. Escuchaba los forcejeos y la voz en un susurro de Rosendo tratando de calmarla. Amenazaba como tantas otras veces con tirarse del barandal o con enterrarse un cuchillo que tendría que ir a buscar a la cocina. Apuré el agua y cuando estaba por llenar el vaso de nuevo, lo dejé caer sin darme cuenta. Me incliné y traté de recoger los vidrios. Caminé de puntitas hasta alcanzar la escoba. Me disponía a barrer cuando mi madre entró a la cocina, abrió un cajón y sacó un cuchillo.

–Me mato si me tocas. Me mato, Rosendo, te lo advierto.

–Cálmate, no te voy a tocar, nada más cálmate.

Quería salir pero la presencia de ambos me lo impedía. Mi madre me daba la espalda para enfrentar a Rosendo. Permanecieron un momento callados, a la expectativa. Él no se atrevía a acercarse y mi madre cambiaba el cuchillo de lugar constantemente, a veces lo ponía en su vientre, otras en su cuello y otras en las venas de la muñeca de su mano derecha o de la izquierda. De pronto dio media vuelta y se abalanzó sobre mí con el cuchillo en alto, di un par de pasos hacia atrás y Rosendo la detuvo por la espalda. No podía calmarla, su fuerza parecía incontrolable. Después de forcejear con Rosendo, éste logró que soltara el cuchillo. La sacó casi arrastrando de la cocina y escuché varias cachetadas.

–Sí, pégame, es lo único que te faltaba, monstruo, degenerado, te coges a tu hijastra en mi propia casa.

Di algunos pasos para regresar a mi cuarto, pero me detuve cuando sentí el piso mojado. Me había enterrado unos vidrios en los pies sin darme cuenta. Jalé un banco que estaba debajo de la mesa y me senté, con el trapo de la cocina limpié la sangre para ver las astillas y extraerlas.

Afuera se hizo la calma. Rosendo tranquilizó a mi madre. Salí de la cocina. La sala iluminada estaba vacía. Caminé lentamente hasta las escaleras. No escuché nada. Subí a gatas para no recargar todo mi peso sobre los pies; aún no me dolían pero supuse que después, cuando la adrenalina hubiera bajado, el dolor sería insoportable. Dejé pequeñas manchas de sangre por todas partes. El cuarto de mi madre y Rosendo estaba cerrado y en silencio. Entré al mío, quité las sábanas y me tumbé sobre la cama, dejé los pies fuera del colchón y me cubrí con un rebozo.

XIV

Estaba muy cansada. Lo único que tenía en la mente, mientras se me cerraban los ojos, era lo que había olvidado y no podía recordar. Sentí un dolor intenso en las plantas de los pies. Un escalofrío recorrió mi cuerpo y se esfumó casi de inmediato.

Algo pesado me impedía respirar, tampoco podía abrir los ojos. Cada vez aspiraba menos aire. El eco de una gotera me despertó. Estaba boca arriba con los pies fuera del colchón, me incorporé y agucé el oído. El sonido era tan fuerte que sólo podía estar dentro de mi cuarto. Encendí la lámpara del buró y busqué el origen de la gotera. Al pie de la cama, justo donde había dejado mis pies colgando, un charco rojo crecía debido a la sangre acumulada que goteaba de la base de madera.

Espantada, miré mis pies. Ya no sangraban, los talones parecían un gran coágulo. Era urgente desinfectarlos pero no quería ir al baño por alcohol y gasas. Tendría que arrastrarme para evitar el dolor.

Entonces entró Rosendo, encendió la luz, acercó la silla del escritorio a la cama y sin decirme nada, jaló uno de mis pies. Lo limpió con alcohol y me acosté para no mirar. Sentía que me quemaba y traté de alejarme varias veces, sin conseguirlo: con una mano me sujetaba el tobillo con fuerza y con la otra limpiaba las heridas y verificaba que no hubiera más vidrios. Me puse la almohada sobre la cara y la mordí para no gritar, me dolía y sentí que Rosendo lo hacía con brusquedad. Me vendó el pie e hizo exactamente lo mismo con el otro. No aparté la almohada en ningún momento, pensaba que la imagen incrementaría el dolor de por sí insoportable. Cuando por fin terminó, me acarició las pantorrillas con las yemas de los dedos. Luego me acarició los muslos y los apretó con fuerza. Permanecí un momento inmóvil un momento. Luego, traté de quitarme la almohada de la cara pero no pude, alguien me la apretaba contra el rostro, manoteé y palpé los brazos que la sujetaban, supuse que sería mi madre pero eran brazos de hombre.

Pataleé y le di varios golpes a Rosendo. Entonces jaló el pantalón de la pijama, me rompió los calzones y sin más preámbulo sentí su pene dentro. Fue rápido y doloroso. Entre más pataleaba y manoteaba menos fuerza tenía. El pene no se movía, pero me hacía daño, lo sentía duro y grande, cada vez más grande. De pronto me sentí vacía, pero no percibí cuando el miembro salió de mi cuerpo.

Apenas podía respirar con la almohada sobre el rostro, lloraba e intentaba gritar. Creí que todo habría terminado y traté de levantarme. De pronto volví a sentir algo dentro: peludo y grande. Pensé en Lucila. Esta vez el pene o lo que fuera se sacudía con fuerza en mi interior, entraba y salía. Me desgarraba. Sin fuerza para seguir luchando, mi cuerpo se azotaba contra el colchón como una muñeca. La almohada apretada sobre mi rostro. Lo único que quería era que terminara.

Entonces la almohada cayó al piso. De entre las lágrimas vi salir del cuarto a Rosendo y a Bernardo. Reían y se palmeaban las espaldas. Quise ir tras ellos y gritar, pero no pude. Las vendas que cubrían mis pies estaban rojas, empapadas de sangre. Mi pubis tenía una maraña de pelos que no eran míos, me los quité y creí que eran los pelos crespos de Lucila. Me recargué en la cabecera con las manos sobre mi cara, los pies punzaban de dolor y sentía un vacío en el vientre.

Entonces desperté. La lámpara y el foco estaban apagados y se filtraba la luz del sol a través de las cortinas. Tenía una cobija encima, debajo seguía el rebozo con el que me había cubierto, usaba el pantalón de la pijama y los calzones estaban intactos. Tenía vendas blancas en los pies. Alguien me había curado sin que me diera cuenta.

Maldito sueño de mierda, nunca imaginé que lo fuera. Estaba fatigada, como si hubiera pasado la noche peleando. Me dolían las piernas y los brazos, y aún tenía la sensación de la almohada sobre la cara. Tenía los párpados hinchados de tanto llorar.

Me volví a cubrir y me quedé dormida. Alguien tocó la puerta. Rosendo entró sin esperar respuesta. Por la luz externa supe que ya era muy tarde.

–¿Estás bien?

Me acomodé en la cama y le di la espalda

–Estás enojada conmigo, ¿verdad?

–...

–No entiendo por qué. Tenemos que hablar aunque no quieras. Me voy de la casa, ya no puedo vivir aquí –en cuanto dijo eso sentí una punzada en el estómago. No podía recordar lo que se me había olvidado. Los días previos, mientras buscaba sentirme mejor, sólo había logrado confundirme más. Aguanté todo lo que pude el nudo en la garganta. Rosendo permanecía en silencio.

–¿A dónde vas? –se sobresaltó con mi pregunta, miraba al suelo y se frotaba las manos.

–Me voy al sur de la ciudad, un amigo me renta una casita.

–¿Cuándo te vas?

–No lo sé. Primero quisiera saber que estás bien.

Por un lado me daba gusto que se fuera, pero por el otro no quería que me dejara sola con mi madre.

–¿Y mi mamá?

–¿Qué quieres saber? ¿Por qué la dejo?

–No, no. ¿Dónde está, cómo está?

–Está en cama, no quiere salir. Le dije que me iba y ni siquiera respondió.

–Seguro no te cree, se lo has dicho muchas veces.

–Sí, y todas esas veces me ha ignorado con razón, pero esta vez va en serio. Ya no puedo estar aquí. Lo intenté. Al principio pensé que tú serías un estorbo y luego el estorbo resultó ser tu madre. No me malinterpretes. En algún momento que no sé precisar, te sentí como mi hija y a tu madre nunca la sentí completamente como mi esposa.

–¿Te puedo preguntar algo?

–¿Qué?

–¿Qué paso en su luna de miel tardía, en Colima, por qué regresaron tan cambiados?

–¿Colima? Pues nada, ya ni me acuerdo. Lo de siempre, ¿por qué la pregunta?

–No sé, creo que antes del viaje se llevaban mejor. Cuando regresaron parecía que algo grave había sucedido. Nunca los había visto tan distantes, antes del viaje parecían quererse.

–No lo sé. La verdad es que ya no entiendo nada. Hice lo posible porque esto funcionara, pero tu madre nunca está satisfecha.

–Lo sé.

Permanecimos en silencio varios minutos. Quería decirle muchas cosas, pero no lograba formular palabra. Estaba segura de que en ese viaje había sucedido algo definitivo, quizá horrendo o demasiado simple. Algo. Porque luego de Colima, mi madre se comportó como si hubiera perdido una cosa irrecuperable. O quizá es lo que yo necesitaba pensar, creer, para no dejar de amarla nunca, como ahora mismo la amo.

Y como no me atrevía a hablar de mis temores por los otros, tuve que hablar de mí misma.

–Hace días que tengo la sensación de que olvidé algo y no he podido averiguar qué.

–¿Perdiste algo?

–Creo que sí, pero no se qué.

–No te preocupes, cuando lo necesites, si en verdad lo necesitas, sabrás qué es.

Quise contarle todo lo que me había ocurrido en los días pasados, lo que pensaba de mi madre, de mi padre, de él y de mi madre con él; pero no lo creí oportuno. Tenía razón, fuera lo que fuera lo sabría cuando lo necesitara. Se levantó de la silla.

–Creo que lo mejor será que vayamos con un doctor, ¿cómo sientes tus pies?

–Mucho mejor, gracias por curarme.

–Fue difícil, pateabas como desesperada pero nunca abriste los ojos, ¿por qué fingiste que dormías?

–No fingí. Sí dormía, ¿te lastimé?

–No, pateaste sólo un momento, luego te quedaste quieta. Pensé que el dolor te había desmayado. Después vine varias veces, pero seguías dormida. ¿Te subo algo de comer antes de ir al doctor o prefieres comer algo en el camino?

–Mmmmmm.

–Vístete, ahorita regreso.

Me vestí y poco después subió por mí. Cuando intentó cargarme para llevarme al coche lo rechacé. Tuve miedo de que mi madre nos viera.

–¿Qué te pasa, es por tu madre?

–No, nada, vamos –me sentí avergonzada por actuar de una forma tan tonta y me dejé cargar.

Decidimos comer en la calle, pero primero pasamos al doctor, me revisó las heridas y sacó un par de vidrios diminutos que casi no se veían, me desinfectó y vendó los pies. Nada grave, pero tendría que esperar antes de caminar con normalidad.

Nos detuvimos en un restaurante chino donde solíamos festejar algo. Pedimos el menú más abundante y brindamos por su próxima vida. De momento sólo se dedicaría al trabajo y a tranquilizarse, luego buscaría otro lugar para vivir y retomaría los pasatiempos que había abandonado para complacer a mi madre.

La sensación de olvido no se marchaba, pero se mantenía a un nivel tolerable. Me sentía contenta por Rosendo, pese a que me quedaría sola con mi madre y no iba a ser fácil.

Poco antes de terminar la comida, dijo:

–No tienes que quedarte, ya sé que es tu madre y que lo que digo puede sonar antinatural, pero creo que lo mejor es que tú también dejes esa casa, ¿por qué no vienes conmigo? Estás a mitad de la carrera y seguro muy pronto tú y Bernardo querrán vivir juntos, no tiene que ser por mucho tiempo, pero creo que a ti también te servirá alejarte.

–Ya no estamos juntos.

–No tardarán en regresar, se la ha pasado buscándote esta semana –mi mirada fue suficiente para que entendiera que no íbamos a regresar.

Pensaba en Bernardo. Me dolía ya no estar con él y ahora que Rosendo se iba de casa lo extrañaría mucho más de lo que había imaginado. La oferta de mi padrastro era tentadora pero no podía dejar a mi madre sola. Regresamos a casa en silencio. Me subió al cuarto en brazos.

No pude dormir en toda la noche. Apenas una semana antes habíamos ido a comprar el regalo de cumpleaños para mi madre y parecía que había pasado un año. El día siguiente sería domingo. Los odiaba, lo único que los hacía soportables era ir al cine o a una cantina con Bernardo. Y Bernardo ya no estaba.

XV

Rosendo bajó las escaleras con calma. Cargaba una maleta que parecía muy pesada, la depositó al pie de la escalera y subió por un costal lleno de ropa. Yo lo miraba desde la puerta de mi habitación. Mi madre estaba en la sala y no paraba de decir que no duraría mucho tiempo fuera y que en cualquier momento regresaría.

Yo no podía bajar a despedirme y esperaba que Rosendo subiera. Cuando regresó por el costal, me hizo una seña para que lo esperara. Una vez que tuvo el costal abajo, se las ingenió para cargar ambos bultos, y llevarlos a la cajuela del carro en un solo viaje. Lo observé desde la ventana. Se tardaba más de lo necesario. A pesar de eso sabía, a diferencia de mi madre, que su decisión iba en serio.

Se entretuvo tratando de acomodar los bultos en la cajuela. Una de dos, o estaba demorando su partida o en realidad no quería irse y sólo necesitaba que alguien se lo pidiera. Mi madre no lo haría, era demasiado orgullosa hasta para decir "te quiero".

Cuando por fin cerró la cajuela, regresó a la casa, subió las escaleras y tocó la puerta de mi cuarto. Entró sin esperar respuesta.

–Me voy, es definitivo.

–...

–¿Vienes conmigo o te quedas? Sólo te lo preguntaré un vez.

–No. Me quedo con mi madre.

Escuchamos un ruido en el pasillo, la puerta estaba abierta y no había nadie visible afuera, pero con toda seguridad mi madre nos espiaba como de costumbre.

–Sé que estás ahí. Ven, siéntate, no tienes por qué estar tan incómoda. De todos modos no estoy diciendo nada que no quiera que sepas.

No hubo respuesta y ninguno se asomó a comprobar que efectivamente mi madre estaba cerca, hubiera sido demasiado vergonzoso.

Agaché la cabeza, confundida, miraba mis pies descalzos y de mirar entre las vendas me percaté de que debía cortarme las uñas. Algo se me había perdido en algún lugar de la memoria. No había ido a la universidad ni al instituto durante una semana, Bernardo me había dejado sin posibilidad de reconciliación.

Rosendo, inquieto, esperaba mi respuesta.

–Te quedas, muy bien. Te deseo la mejor de las suertes. Eres muy importante en mi vida, espero que lo sepas y que no lo olvides. A pesar de todo te considero una hija. En cuanto tenga teléfono en casa te lo paso; mientras, puedes encontrarme en el celular o en la oficina.

Todavía esperó un momento, en el que me miró insistentemente a los ojos y no se atrevió a decir nada más, pues sabíamos que mi madre nos escuchaba.

–Bueno, pues me voy.

En cuanto lo dijo le di la espalda y lo escuché salir del cuarto sin cerrar la puerta.

–¿A dónde crees que vas? Ejerces demasiada presión psicológica sobre tu hijastra, la vas a traumar para toda la vida –ahora yo le servía y me usaba como pretexto–. Después de todo lo que pasamos, después de todas las tempestades que hemos capoteado. Serás un cobarde si te vas ahora.

Silencio.

–Al menos di algo. No importa, vas a regresar, como siempre –mi madre sabía que Rosendo no pensaba regresar. Usaba un tono de voz que pretendía ser burlón, pero resultaba lastimoso, adolorido.

Rosendo no decía nada y yo esperaba el ruido del motor en cualquier momento. No quería quedarme, pero tampoco podía irme. No quería a mi madre y me sentía culpable por ello. No imaginaba cómo se comportaría luego de que la abandonara su segundo esposo. No imaginaba nada peor a esa situación y sin embargo sabía que iba a empeorar.

El silencio me sacó de mis pensamientos. Me asomé a la ventana, el coche seguía estacionado. Fui hacia la puerta abierta y me asomé al pasillo. Alguien cuchicheaba, pensé que se habrían reconciliado y me llené de indignación. De ser así, Rosendo perdería el respeto y cariño que le tenía. Caminé de puntitas a través del pasillo. Me asomé por el barandal y no vi nada. Ya no escuchaba el cuchicheo. Regresé a mi cuarto, cerré la puerta y, acostada en la cama, esperé el sonido del motor.

Ahora que mi madre y yo estaríamos solas quizá habría modo de convivir un poco más, y que ella no se sintiera relegada y sola. Yo tendría que aceptar mi responsabilidad; mi madre, pensaba, estaba a punto de perder la cordura pero yo tampoco había hecho nada por ayudarla. No sabía cómo, pero en algún momento podría convencerla de buscar a alguien que entendiera lo que le sucedía.

Abrió la puerta y permaneció un momento en el umbral, tenía el cabello alborotado y transpiraba. Se acercó a la cama y antes de que pudiera reaccionar me tomó del cabello, me llevó arrastrando hacia el pasillo y luego abajo, por las escaleras. Yo trataba de usar mis manos y piernas para impulsarme y evitar que me lastimara mientras me arrastraba. Ya abajo, me llevó a la cocina. Le gritaba que me soltara y pedía auxilio. Cuando me dejó en el piso vi a Rosendo inmóvil, tirado a un lado de la estufa. No había sangre y tampoco le noté ninguna herida. Logré zafarme y me arrastré a su lado para tratar de reanimarlo. Mi madre buscaba algo en los anaqueles y al no encontrarlo, empezó a tirar los trastes al piso. En un descuido gateé a la salida. Sentí que los pedazos de loza y vidrio se me incrustaban en las rodillas y en las palmas de las manos. Ya fuera de la cocina me levanté y corrí hacia el coche. Las llaves estaban pegadas. Mi madre salió tras de mí, pero no alcanzó a detenerme. Me encerré en el auto y arranqué el motor. Los gritos habían atraído a los vecinos. A lo lejos se escuchaba la sirena de una patrulla. Mi madre se puso frente al coche con un cuchillo en la mano. Aceleré y le dejé ir el carro. Se apartó de un brinco, me sorprendió su agilidad. Me alejé algunas cuadras y luego regresé.

Había mucha gente fuera de casa. Mi madre estaba dentro de una patrulla. Los vecinos y un policía me sacaron del coche. Poco después llegó una ambulancia.

Me hicieron preguntas que no entendí, sus voces parecían distorsionadas y lejanas. Lo único que escuchaba eran las sirenas.

No podía quitar la vista de las largas y amarillentas uñas de mis pies. Esta vez las vendas sí estaban ensangrentadas. Me dolían las rodillas, los codos y las palmas de las manos.

¿Dónde había dejado los zapatos?

ÍNDICE

Bibiana Camacho (Ciudad de México, 1974) es ex bailarina y encuadernadora. Usa el nombre de su abuela como seudónimo porque siempre le pareció un gran personaje literario. Fue becaria del programa Jóvenes Creadores del FONCA 2008-2009. Ha colaborado en *Generación, Replicante, Revés, Puro cuento* y *La Tempestad*, entre otras publicaciones. Con *Tras las huellas de mi olvido* obtuvo una mención honorífica en el Premio Juan Rulfo de primera novela 2007. Tiene un libro de cuentos: *Tu ropa en mi armario* (2010).

Otros títulos en *Mar Abierto*

BAJO LA PIEL DE CHANNEL
Danilo Moreno

UNA AUTOBIOGRAFÍA SOTERRADA
ÍCARO
Sergio Pitol

LARGUEZA DEL CUENTO CORTO CHINO
José Vicente Anaya

PÁJAROS EN LA BOCA
Samanta Schweblin

EL DÍA QUE BEAUMONT CONOCIÓ A SU DOLOR
J. M. G. Le Clézio (Gran formato)

LOS CULPABLES
LLAMADAS DE ÁMSTERDAM
PALMERAS DE LA BRISA RÁPIDA
Juan Villoro

LOS ESCLAVOS
Alberto Chimal

¿TE VERÉ EN EL DESAYUNO?
Guillermo Fadanelli

POESÍA ERAS TÚ
Francisco Hinojosa

ZOOMORFÍAS
SAMAHUA
HUATULQUEÑOS
BAJO UN SOL HERIDO
Leonardo da Jandra

OSCURO BOSQUE OSCURO
Jorge Volpi

MÁS ALLÁ DE LA SOSPECHA
Philippe Ollé-Laprune

JERUSALÉN
AGUA, PERRO, CABALLO, CABEZA
HISTORIAS FALSAS
Gonçalo M. Tavares

MIS DÍAS EN SHANGHAI
Aura Estrada

LOS NIÑOS DE PAJA
Bernardo Esquinca

LA TORRE DEL CAIMÁN Y ROSETE SE PRONUNCIA
Hugo Hiriart

GRANDES HITS VOL. 1
Tryno Maldonado

BUENOS DÍAS CAMARADAS
Ondjaki

SIEMPRE JUNTOS Y OTROS CUENTOS
Rodrigo Rey Rosa

REVÓLVER DE OJOS AMARILLOS
J. M. Servín

EL ANIMAL SOBRE LA PIEDRA
Daniela Tarazona

Otros títulos en *Pleamar*

POBLACIÓN DE LA MÁSCARA
LA ISLA DE LAS BREVES AUSENCIAS
Francisco Hernández
Premio Mazatlán 2010
Mención honorífica. Bienal Nacional de Diseño del INBA 2009

A PIE
Luigi Amara

MUERTE EN LA RÚA AUGUSTA
Tedi López Mills
Premio Xavier Villaurrutia 2009

ESCENAS SAGRADAS DE ORIENTE
José Eugenio Sánchez
Premio Internacional de Poesía Fundación Loewe
a la joven creación 1997

PITECÁNTROPO
Julio Trujillo

ÚLTIMA FUNCIÓN
Marcelo Uribe

Otros títulos en *Estuario*

EL ARTE DE PERDURAR
Hugo Hiriart

ARTE Y OLVIDO DEL TERREMOTO
Ignacio Padilla

LA CIUDAD DE LAS PALABRAS
Alberto Manguel

LA OTRA RAZA CÓSMICA
José Vasconcelos

EN BUSCA DE UN LUGAR HABITABLE
Guillermo Fadanelli

POSTHUMANO
Mauricio Bares

LA POLCA DE LOS OSOS
Margo Glantz

ECOS, REFLEJOS Y ROMPECABEZAS
Marie-Claire Figueroa

EN TIEMPOS DE PENURIA
Jorge Pech Casanova

ESO QUE ILUMINA AL MUNDO
Armando González Torres

PUNKS DE BOUTIQUE
Camille de Toledo

UNA CERVEZA DE NOMBRE DERROTA
Eusebio Ruvalcaba

EL IMPERIO DE LA NEOMEMORIA
Heriberto Yépez

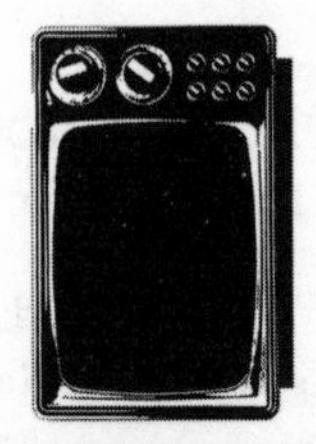

TRAS LAS HUELLAS DE MI OLVIDO
de Bibiana Camacho
se terminó de
imprimir
y encuadernar
en agosto de 2010,
en los talleres
de Litográfica Ingramex,
Centeno 162,
Colonia Granjas Esmeralda,
Delegación Iztapalapa,
México, D.F.

Para su composición tipográfica se emplearon las familias Bell Centennial y Steelfish de 11:14, 37:37 y 30:30. El diseño es de Alejandro Magallanes. La impresión de los interiores se realizó sobre papel Cultural de 75 gramos y el tiraje consta de dos mil quinientos ejemplares.

Este libro pertenece a la colección *Mar Abierto*
de Editorial Almadía,
donde se da cabida a los viajes
más ambiciosos y logrados
de la narrativa contemporánea,
aquellos que descubran islas inexploradas
o transmitan la experiencia de la inmensidad oceánica,
que hace posible la navegación.